世界上最幸福的感觉

[韩]金河◎编　　　苏茉◎译

中信出版社
CHINA CITIC PRESS

图书在版编目 (CIP) 数据

世界上最幸福的感觉 /（韩）金河编 ; 苏茉译 .—北京：中信出版社 ,2006.7
ISBN 7-5086-0713-9

I. 世 ... II.1 金 ...2 苏 ... III. 故事 – 作品集 – 韩国 – 现代 IV.I312.645

中国版本图书馆 CIP 数据核字 (2006) 第 081862 号

THE BEST HAPPY FEELING IN THE WORLD by kim Ha
Copyright ⓒ 2004 MEANINGFUL PERSONS
ALL RIGHTS RESERVED
Simplified Chinese copyright ⓒ 2005 by SHANGHAI 99 READERS' CULTURE CO.,LTD.
Simplified Chinese language edition arranged with MEANINGFUL PERSONS
through ERIC YANG AGENCY

世界上最幸福的感觉
SHIJIESHANG ZUIXINGFU DE GANJUE

著　　者：[韩] 金河
译　　者：苏茉
策 划 者：蔺瑶　罗晓荷
出 版 者：中信出版社 (北京朝阳区东外大街亮马河南路 14 号 塔园外交办公大楼 100600)
经 销 者：中信联合发行有限责任公司
承 印 者：山东德州新华印务有限责任公司
开　　本：850×1168 1/32　　印 张：5　　字 数：60 千字　　插 页：2
版　　次：2006 年 8 月第 1 版　　　　印 次：2006 年 8 月第 1 次印刷
京权图字：01-2006-4055
书　　号：ISBN 7-5086-0713-9/G·191
定　　价：24.00 元

美丽的世界，幸福的我们，珍惜今天吧。

　　_____ 很多人说，幸福是不幸的另一面。同一件事情，从不同的角度看，可以是非常不幸的，也可能是很幸福的。我们想极力回避的不幸也许正是幸福的影子，重要的是我们以什么样的态度面对不幸。

编者的话

　　我们每天都希望自己幸福，而且总认为这和自己拥有很多东西、很多金钱有着非常密切的联系，但其实并不是这样。一个人如果执著于对财富的追求，那个名叫幸福的小鸟就会离他越来越远……

　　幸福和现在这个瞬间是联系在一起的，并不一定要实现某个目标才会幸福，幸福是在过程中的感受。是的，如果你在现在这个瞬间觉得自己幸福，这就是幸福。

　　很多人说，幸福是不幸的另一面。同一件事情，从不同的角度看，可以是非常不幸的，也可以是很幸福的。我们想极力回避的不幸也许正是幸福的影子，重要的是我们以什么样的态度面对不幸。

　　就像长久保持爱情的热度并不容易一样，幸福的小鸟也不可能总是停留在我们身边。但是幸福之门的一侧被关闭的时候，另一侧就会向我们敞开。我们总是看着已经关闭的那一侧，却看不到正朝我们敞开的另一侧。

　　请大家记住，在你最幸福的那个瞬间，不幸的影子也不会离你远去；在你绝望的时候，也要铭记痛苦是有限的，幸福的种子正在发芽、成长。

　　在我们的心中，幸福的感觉并不是从天而降的，如同微笑般美丽的幸福之泉需要我们一定程度的忍耐。这样的努力不仅让我们心情舒畅，还能让我们变得越来越美丽。就这样，我们在心目中播撒幸福的种子。

还有一点大家不能忘记，人不可能绝对幸福。真正快乐的人生秘诀在于和别人分享更多的幸福和快乐。

　　现在就向你周围的人敞开心灵之门吧！然后去真心地爱别人，你的脸上会充满美丽的光芒！

五、开启明天的希望香气　123

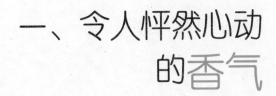

一、令人怦然心动 的香气

同病相怜

　　一家宠物店的老板在门口挂了一块小牌子，上面写着"出售小狗"。
这样的小广告通常都会吸引孩子们的视线。果然，没过多久就有一个小
男孩在门口探头探脑。不久，那个小男孩鼓起勇气走进了宠物店，问老板：

　　"小狗多少钱一只？"

　　老板说："一般是三十到五十美元。"

　　小男孩从自己的口袋里拿出了几个硬币，说道：

　　"我现在只有三美元三十五美分，但是我想看看小狗，可以吗？"

　　看到小男孩这么喜欢小狗，老板微笑着，朝店里吹了一声口哨。很快，
里面的店员就放出了五只毛茸茸的小狗。小狗们一下子跑到了小男孩面前，
可是其中一只却被远远地落在了后面。原来它一条腿是瘸的。

　　小男孩指着那只瘸腿的小狗，说：

　　"它受伤了吗？"

　　"嗯，兽医说这只小狗从出生那天起，一条腿的关节就有问题，所以
只能这样一瘸一拐地走路。"

　　"那它永远都会这样吗？"

　　"是的。"

　　小男孩仔细想了一会儿，一脸兴奋地说：

　　"我想买这只小狗。"

　　老板一脸惊讶，说道：

"不行，它已经残废了，我不能把它卖给客人。"

"为什么？"

"因为……如果你真的喜欢这只小狗，就带走吧，我不收你的钱了。"

听了老板的话，小男孩突然变得十分慌张。

他目不转睛地看着老板，非常坚决地说：

"我不想白白带走这只小狗。"

"？"

"这只小狗也和其他小狗一样，有同样的价值。所以我愿意出正常小狗的价格买下它。当然，我现在只有三美元三十五美分……我以后会每月给您五美分。"

尽管小男孩一再坚持，可老板还是不肯答应，他摇着头说：

"不行，这样的小狗我不能收你的钱，它不能跑，也不能像其他小狗那样陪你一起玩。"

老板的话还没说完，小男孩气得满脸通红，他卷起了自己的一只裤管，让老板看自己用金属校正器支撑着的腿。

"我的这条腿也是残废，不能像其他小朋友那样蹦蹦跳跳。这只小狗和我一样也需要理解自己的人，不是吗？"

要把别人伤害你、让你难过，当成是一种锻炼，铁要进入熔炉才能成钢。通过锻炼，你会获得一个更加坚强的神经。

——奥古斯汀

（Aurelius Augustine，354~430，罗马帝国基督教思想家，教父哲学的主要代表）

眼中的慈悲

这是发生在美国北部弗吉尼亚州的故事。

一个十分寒冷的夜晚，一位老人站在岸边等待过河。虽然河水只有膝盖那么深，但是一些地方已经结冰，非常危险。天气寒冷，老人的胡须结出了冰碴，在刺骨的寒风和漫长的等待中，他的身体逐渐僵硬。

这时候，老人听到了远处传来的马蹄声，一群骑马的人正在朝这个方向跑来，只要骑马就可以很轻松地到达对岸。老人看着行色匆匆的绅士们渐渐来到了自己眼前。

第一个人经过老人面前的时候，老人没有做出任何请求帮助的手势。第二个人经过，第三个人经过，老人还只是呆呆地站着。终于，最后一个人来到了老人面前，老人看着那个人的眼睛，说道：

"这位绅士，你能把我带到对岸吗？河水已经结冰，我过不去。"

绅士勒紧缰绳，说道：

"好的，您上马吧！"

但是老人没有靠近马，因为他的身体已经僵硬得不能动弹了。绅士下了马，把老人扶了上去，带老人过了河，而且还把他送到了几公里外的目的地。

当老人到达小茅屋的时候，绅士终于忍不住问道：

"当我的同伴经过您面前的时候，您没有任何反应，我是最后一个经过的人，您却向我求助。为什么您在那样刺骨的寒冷中，要等到最后一个人经过的时候，才请求帮助呢？如果我拒绝您的请求，后果不是很严重吗？"

从马上下来的老人正视着绅士的眼睛，说道：

"我在这里生活很多年了，我自信很了解这个地方的人。"

老人接着说：

"我看着骑马过来的那些人的眼睛，发现他们对我这样的老人漠不关心，因此成功的可能性很小。但是当我看到你的眼睛时，我看到了你眼中的慈悲。那个瞬间，我意识到善良的你可以帮助身处困境的我……"

听了老人的话，绅士被深深打动了，他对老人说：

"谢谢您的这番话，今后我会更加努力地关心别人。"

绅士说完话，就调转马头，奔向了白宫，这个人就是美国第三任总统，汤姆斯·杰弗逊。

看到善良的行为，应该像饥渴的人看到水一样；听到丑陋的语言，应该像聋人一样。善事应该多做，恶事不要靠近。

买自行车

这是一件发生在某国自行车拍卖场的故事。

人们正在挑选着自己喜欢的自行车，每个人脸上都是一副非常忙碌的表情。

就在这样一个成年人聚集的地方，却有一个男孩坐在了最前排，手里拿着一张5美元的纸币。

终于，拍卖开始了。男孩第一个举起了手，大声喊道："5美元！"旁边有个人马上说道："20美元！"就这样，第一辆自行车被开价20美元的那个人买走了。

第二辆，第三辆，第四辆也这样被买走了。5美元根本什么都买不到，被买走的自行车价格都是15美元，20美元，没有低于这个价格的。

拍卖师实在看不下去了，他同情地看着男孩，小声说道：

"小朋友，如果你想买自行车，就开20美元或者30美元吧。"

"叔叔，可是我只有5美元。"

"5美元根本买不了自行车，去跟你爸爸妈妈多要点钱吧！"

男孩说：

"不行，我爸爸失业了，妈妈身体也不好，他们不能再给我钱了。我有一个弟弟，我已经答应给他买一辆自行车了……"

说完，男孩低下了头。

新一轮拍卖又开始了，男孩的钱买不了自行车。但是他仍然第一个喊出"5美元"，周围的人渐渐开始注意到了这个男孩。

终于，要拍卖当天的最后一辆自行车了，这也是最好的一辆，很多人都在期待这辆自行车。

"好，下面是今天最后一次拍卖！"

拍卖开始了，男孩一脸沮丧的表情坐在位子上，但还是举手喊了"5美元"！没想到拍卖场里一片安静，没有人出价。

"5美元，没有人再出价了吗？如果我数到5还没有人出价，这辆自行车就是这位小绅士的了。"

"5，4，3，2，1……成交！"

"哇！"

男孩把手里皱皱巴巴的5美元纸币递给了拍卖师，所有的人都站了起来，祝贺男孩买到了自行车。

没有什么比温暖地照顾别人，
亲切地对待别人更让人显得美丽了。

一个约定

这个故事发生在罗马和迦太基之间正在进行布匿战争的时候。

在激烈的战斗中，迦太基军处于劣势，罗马的莱奎勒斯将军被迦太基军抓获，成了俘虏。

迦太基军原本要杀死莱奎勒斯将军，可是随着战斗的进行，他们逐渐处于劣势，于是决定利用莱奎勒斯将军和罗马谈判。他们对将军说道：

"将军，我们准备和罗马休战。现在我们放您回去，但如果罗马军不顾将军的安危，不答应休战，将军还要回来。"

莱奎勒斯陷入了沉思中，究竟应该为了生存回到罗马军中去，还是应该为了捍卫荣誉而选择死亡，他很矛盾。他意识到在自己临死之前应该为祖国做点事情，于是他答应了卡塔尔军的要求。

不久后，回到罗马的将军受到了皇帝的热烈欢迎，他把自己回罗马的前因后果详细地告诉了皇帝。

"我答应了迦太基军让我说服您休战的要求，才回到罗马的。但我想劝您不要休战，现在迦太基非常混乱，只要我们坚持一段时间，他们肯定会不攻自破的。"

将军把自己了解到的关于迦太基军的所有情报都告诉了罗马皇帝，然后就准备回到迦太基去。很多人都劝他不要再回去了，但将军毅然决然地说：

"如果我不回去，他们会嘲笑罗马人都是骗子，这不仅关系到我个人的安危，也关系到整个罗马帝国的荣誉，虽然这是和敌人的约定，但我也要遵守。"

如果你可以严格地遵守约定，我们的国家就会越发强大。如果你想影响其他人，首先要相信自己。为了相信自己，就要相信自己所说的话，并按照所说的话去做。

情书

　　有一个女孩，性格很内向，也不爱说话。她喜欢一个人呆着，还很害羞。

　　不仅是白天在学校，即便连放学后她都很少和同学一起玩。有一天，女孩找到了她唯一的乐趣，那就是欣赏音乐。

　　女孩家附近新开了一家音像店，她经过的时候，偶然看到了一个店员，而且正是她心中白马王子的类型。店员招待每一个顾客的时候，都会露出温和亲切的微笑，这微笑也深深地吸引了女孩。

　　女孩几乎每天都到音像店买CD，这样就能每天见到那个男孩。男孩一如既往，每天用迷人的微笑接待女孩。但是仅此而已，男孩不只对女孩，他对每一位顾客都是这样亲切。在少女的心中，音像店的男孩是一个距离自己很遥远的白马王子。她想，在男孩眼中，每天都光顾音像店的自己可能非常可笑。

　　有一天，女孩生病了，刚开始只是有一些不舒服，好像是感冒。可是病情越来越严重，连学校都去不了了，当然也去不了音像店了。是因为心病吗？没有查出特别的病因，只是一直卧病在床，几个月后，她离开了人世。

　　葬礼结束后，女孩的母亲整理她的遗物，发现了堆在房间角落中的CD，那些CD的包装还没有拆开，整整齐齐地摆在那里……

　　其实，女孩根本没有听这些CD的唱机。她只是为了见到男孩，才每天到音像店去买CD。

　　妈妈深深叹了一口气，拆开了其中的一盘CD，没想到里面掉出了一张信纸。

"……?"

妈妈打开了其他 CD，每打开一张 CD 的外包装，里面都会掉出一封信。而且是没有人看过的信……

这是那个男孩写给几乎每天都来找自己的美丽少女的情书。男孩深信女孩可以一边听着优美的音乐，一边读自己写给她的情书……

真正的爱情要纯洁，要尊重对方的人格，应该神灵的面前也毫不动摇，还要有不屈服于任何困难的勇气。

——L·拉罗什富科

(La Rochefoucauld，1613—1680，17 世纪法国思想家，箴言作家)

要用一颗坚强的心去爱一个人，
爱情需要可以跨越任何障碍的勇气。

男和女

　　太初，神在创造了天、植物以及各种动物之后，创造了最早的男人和女人。神为男人在原野里搭建了小帐篷，为女人在河边搭建了小帐篷，然后在两个人之间开辟了一条路。

　　但是神很吝啬，没有赐予男人和女人任何光亮，所以他们的眼睛就像刚出生的婴儿一样，总是闭着的。男人和女人看不到对方，就这样在不知道对方存在的情况下生活着。

　　有一天，男人和女人意识到了路的存在，而且还知道了路的尽头有一种很珍贵的存在，感受到了两人之间有一种欲望，确信在不久之后，两人中的一个人一定会找到另外一个人。神在想，究竟谁会先去找谁呢？于是在两人之间的路上撒了很多干树叶，这样如果有人走到路上，马上就会发出踩树叶的声音，神就会马上发现。

　　有一天，女人抓到了一只蟾蜍当做食物。蟾蜍为了逃脱，往女人的脸上吐了一口口水。女人马上抬起手来擦脸，指甲掠过了眼际。瞬间，一个令人惊讶的世界展现在她的眼前，刺眼的阳光下，壮丽的瀑布、娇艳的花朵和可爱的动物……偶然间，女人发现了那条通向男人的路。路上撒着干树叶，女人一眼就看出这是神在开玩笑。

　　不久，女人从河里打来水，一边打湿树叶，一边走路，她终于见到了男人。那天晚上，女人到男人家里，用自己的指甲帮男人张开了眼睛。

　　男人发现自己经常在梦中见到的女人近在眼前，非常激动，当晚两人深深相爱了。

　　第二天早上，女人说：

　　"神绝对不会睡懒觉的，我要回去了，晚上再来找你。"

　　男人非常高兴，于是期待着夜晚早点到来。天一黑，他马上沿着那条路，去找女人。

　　可是男人没有发现撒在路上的干树叶，神很快听到了扑哧扑哧的声音，并发现了男人。神问男人：

　　"你要去哪儿？"

　　男人低着头，一句话都说不上来。

　　"是你！先屈服于欲望的是你……以后永远都会是这样，男人总是先去找女人，女人等着男人去向她表达爱情……"

　　"不是这样的，其实……"

　　男人想说什么，但是他怕神会惩罚已经深深陷入爱情之中的女人，于是他默默接受着神的惩罚。从此，男人总是主动向女人表达自己的爱慕……

　　在懂得爱情之前，男人还不是男人，女人还不是女人。所以，爱情对于男人和女人的成熟来说，是非常必要的。

——塞缪尔 · 斯迈尔斯

(Samuel Smiles，1812-1904，英国作家)

眼神

一个年轻人偶然见到了一位美丽的小姐，并对她一见钟情。但是年轻人很内向，没有勇气靠近那位美丽的小姐。

所以，虽然有多次表白的机会，但是年轻人总是没能说出自己的心里话，只是在小姐周围打转。

终于，年轻人下定了决心。他鼓足勇气决定当天开始给那位小姐写信。每一张纸都被充满感情的文字填满了。

一封、两封、三封……每天，这位小姐都能收到年轻人的信。但是年轻人依然没有面对小姐的勇气，他害怕，害怕自己的表白会被拒绝。

每天收到情书的小姐非常惊讶，她惊讶于竟然有人这样爱着自己。晚上，她辗转难眠，企盼着这个写情书的人能够早日出现在眼前。

"如果有人真的这样爱着我……"

每天，一听到邮递员喊："有信！"小姐就高兴地跑出去。邮递员恭恭敬敬把信递给小姐，并用眼神跟她打招呼，眼神里充满了认真和诚恳。小姐双颊绯红地接过邮递员的信，就这样邮递员每天都给小姐送信。

不知不觉，两年过去了，信已经超过了 500 封。就在小姐收到第 600 封信的那一天，小姐结婚了。

穿着一身洁白婚纱的小姐像花一样美丽，出乎大家意料的是，娶到这位美丽新娘的人正是每天送信的邮递员。

结婚典礼结束后，有人问小姐，这是为什么。

"怎么不是每天给你写情书的那个人？"

新娘笑着，羞答答地回答道：

"对我来说，一百句充满爱意的言语比不上一个温暖的眼神，而且我已经接受了 600 次这样的眼神。"

如果想让对方第一眼就被你迷倒，就要给面前的这位小姐某种尊敬你、同情你的刺激。

——司汤达

(Stendhal，1783–1842，十九世纪法国杰出作家)

EMMAUS

皮埃尔神父是世界贫民救助共同体"EMMAUS"的创始人。EMMAUS是没有希望、失去了生存勇气的人们一起生活，帮助比自己更加困苦的人，并在这个过程中重新找回人生目标的地方。

第二次世界大战结束后，皮埃尔神父当选为国会议员，政府奖励了他一套房子。可神父觉得这栋房子一个人住太大了，就在大门上挂起"EMMAUS"的牌子，请各地游客住在自己家里。但是和最初的想象不同，住到他家的人都是孤儿、无家可归的人、刚刚从监狱里出来的人或者酒精中毒者等等。

有一天，一个因为杀人罪被判20年徒刑、刚刚刑满释放的人来到了神父家里。第二天早上，大家发现这个人浑身是血，原来他自杀了，万幸的是还有一口气。皮埃尔教授把他抢救过来后，只字未提自杀的事情，只是说希望他留在家里帮自己盖房子。

后来，那个人向皮埃尔神父袒露了自己的心声：

"如果当时神父训斥我，给我钱，或者帮我找工作，我可能还会自杀，因为那让我觉得自己什么都做不了。但是我跟着神父盖房子，发现像我这样的人也可以帮助别人，也许还可以成为一个好木匠……"

来EMMAUS的人总会问皮埃尔神父这样的问题，他们说自己不知道为什么会来到这个世界上，每次，神父都会微笑着回答他们：

"人来到这个世界上是为了学习爱的方法。"

不计报酬的服务不仅能让别人幸福，也能让自己幸福。把自己的力量贡献给整个人类，不仅是对先人，同时也是对我们的要求。如果每个人都能够遵循这一原则，人就可以不再自私，这也是人和兽的区别。

——甘地

(Mahatma Gandhi，1869－1948，印度政治家)

正直的心

　　因为经常在电视上露面而被大家熟知的物理学家詹姆森博士和几个外国人一起在德国旅行。

　　詹姆森和大家一起在酒店附近的繁华街道上散步，偶然遇到了一群男孩请他签名。还没签完，预订好的巴士到了，詹姆森博士匆匆忙忙地赶车，不小心把签字笔掉在了地上。

　　上车后他才发现，一个男孩正在拿着那支笔跟着巴士跑。但是他想："不过是一支笔……"于是挥挥手，示意送给男孩了。随着巴士加速，拼命追赶巴士的男孩越来越远，逐渐消失了。

　　亲爱的詹姆森博士：

　　那天拾到您钢笔的男孩是我儿子。从那天起，他就想尽办法打听您的地址。对于一个还不到十三岁的孩子来说，这并不是一件容易的事情，但他说一定要物归原主，始终没有放弃。

　　就这样，五个月过去了，一天，他在报纸上看到了关于您的报道，就跑到那家报社，终于找到了您的地址。那天他欣喜若狂的样子至今还历历在目。

　　一个月前，他说："妈妈，我去邮局给博士先生寄钢笔。"然后就离开了家，再也没有回来。他太兴奋了，在去邮局的路上，没有看

到疾驰而来的汽车……我拿到的只有他一直放在自己怀里的钢笔。所以，尽管这支钢笔已经被挤压得变形了，但我还是要还给您。

希望您记住一个德国少年正直的心。

把正直和诚实当做你的朋友吧，任何一个朋友对你的帮助都不能和你身上的正直和诚实相比。当你失去一个人的信任时，是最悲惨的。一颗诚实的心感动人的力量要大过一百本书。

——B·富兰克林
(Benjaming Franklin，1706—1790，18 世纪美国科学家)

孩子纯真的心灵装点着世界的美丽，
没有孩子的世界没有幸福。

爱的奇迹

　　在疗养院的一个单人间里，俊浩被洁白干净的墙壁和安逸的气氛感染着。周围非常安静，没有电视机，也没有收音机。

　　更让俊浩吃惊的是端端正正躺在床上的患者，既不是老爷爷，也不是老奶奶，而是一个乍一看跟自己年龄相仿的女孩，耳旁垂着一条长长的辫子。

　　"我……我是不是进错房间了……"

　　俊浩匆匆忙忙跑出房间，再次确认房间号码，506 号……没错。

　　这时候，一位中年妇人走进了病房。

　　"快进来吧，你是不是下周要照顾我女儿的人？"

　　"噢，我……我是……"

　　"拜托你了，我是她的妈妈。"

　　夫人说完后，静静地低下了头，俊浩也赶忙低下了头。

　　俊浩现在是大学二年级的学生，他参加公益服务组织的活动是上个学期的事情。他们到各个养老院、孤儿院为大家服务，感到非常充实。这学期开学后，他只要有空，就参加各种各样的公益服务活动。于是他来到了这家疗养院。

夫人一边削水果，一边和俊浩聊这聊那。躺在床上的这个女孩名叫银英，是植物人。十年前，她十一岁的时候，由于一场交通事故，变成了现在的样子。十年前十一岁，那今年应该是二十一岁了……只比俊浩小两岁，但她稚嫩的面庞看起来就像一个中学生。

第二天，俊浩来到病房的时候，银英的母亲不在。阳光射进来，房间里非常明亮。于是俊浩走到床边，把窗帘放低了一些，然后坐到了床边的椅子上。

银英一直睡着，她妈妈说过，除了偶尔会睁一下眼睛，大部分时间她都在睡觉。她身体所需的营养都通过各种管子注入到体内，所有的排泄也要通过管子。没有什么事情是需要俊浩特别做的，他想起自己来这儿的目的，噗哧笑了一下。

"她是想让我就这样安静地坐着……"

其实他需要做的就是防止病房的东西被盗，只有这个。

第二天，俊浩拿了一本书到病房。看书多多少少可以打发一些无聊的时间。

他在银英的枕畔安静地读着书，无意中，看了银英一眼，却被吓了一跳。

"……！"

不知什么时候，银英的眼睛睁开了。俊浩还是第一次看到银英睁开眼睛的面庞，这时候他才感觉到，躺在自己面前的是一个活人。不知为什么，银英的眼神里透着不安。过了一会儿，妈妈回来了，她似乎这才安心了，又闭上眼睛睡着了。

第二天，俊浩又拿了一本书来到病房。那天银英的母亲也来得很早，她握着女儿的手，轻轻地讲着故事，都是些和银英年龄相仿的孩子特别喜欢的明星故事。

俊浩问银英的妈妈：

"她能听懂吗？"

妈妈安静地摇着头。

"我也不知道，但我相信……她能听懂。"

因为有急事，银英的妈妈匆忙离开了，病房里又剩下了银英和俊浩。

俊浩坐到椅子上的时候，偶然发现银英的手露在了被子外面。他把银英的手放进被子里，抬头看了看她的脸。银英醒着，俊浩惊慌失措，脸上露出了尴尬的笑容。

银英又一次进入了梦乡，俊浩虽然翻开了书，却一个字都看不进去。又没做什么坏事，可不知为什么心扑通扑通剧烈地跳着。

又一天早上俊浩来到病房的时候，银英的妈妈不在，她一个人茫然地睁着眼睛，俊浩走到床边，打了个招呼。

"你好？"

虽然不确定，但俊浩不知从什么时候开始强烈地感觉到这个女孩"活着"。就在这时候，让人震撼的一幕发生了。银英把眼睛转向俊浩，轻轻地笑了笑。

"……？"

"笑了？我听说植物人是不能动的……"

不久，她的妈妈来了，俊浩把刚刚的一幕告诉了她。

"为什么会这样呢？"

"你也感觉到了，你也感觉到她在笑了……"

女孩妈妈的表情马上阴沉了下来。

"我也看到过好多次，我跟医生说，但医生告诉我这只是错觉。他说这孩子……能够靠自己的意志控制的部分只有一双眼睛。"

"……"

"但我还是很高兴，很高兴你能感觉到她在笑……说不定你们之间真的有某种感应呢……"

俊浩转过头，看了看银英，但是她已经睡着了。

每天到银英的病房看一看已经成为俊浩生活的一部分了。他每天都来，也不再自己看书，而是给银英读书。从短小的童话到战争小说，不管是什么题材，俊浩都读给女孩听。每到俊浩读书的时候，银英总是不睡觉，睁着眼睛听俊浩讲。

有一天，俊浩走进病房的时候，银英醒着。

"半个小时前她就醒了，她在等你。"

银英的妈妈笑着说道。

那天，俊浩来得匆忙，忘记带要读的书了。他只好对银英说一声对不起，然后把自己知道的故事讲给她听。以前听别人讲的故事，朋友的故事，农村老家的故事……俊浩讲了很多故事。一个人独白般的对话一直持续到深夜，银英一直都在听，没有睡着。

墙上的时针已经指向了凌晨三点，周围死一般的寂静，俊浩觉得非常舒服，于是他说起了从来不曾对别人提起的自己的故事。自己的自卑，没有女朋友的寂寞，没有勇气表白而错过的女孩……那些怕别人知道的惭愧的事情，俊浩都说了出来。

"我为什么会说起这些呢？难道是因为她只是一个什么都不知道的植物人？真的是这样吗……"

说完这一切后，俊浩不知不觉睡着了。

当他蒙蒙眬眬醒来时，感觉到自己脸上有一股温暖的气息，原来是银英的手。

"……？"

看着银英闪闪发亮的眼睛，俊浩问道：

"是你把手放到我脸上的吗？"

显然，银英不可能回答他的问题，只有那双眼睛还在看着俊浩。

"看来是我失礼了，对不起！"

俊浩跑出了病房。

"真丢脸，一晚上把我的糗事都告诉她了。"

回到家里的俊浩很快就睡着了。

第二天，俊浩到达病房的时间比平时晚了一些。

同样的病房，同样躺在床上的银英。

银英的妈妈用有些惋惜的表情看着俊浩。

"今天是最后一天……"

"是的……"

"我能感觉到这孩子非常喜欢你……真可惜……"

"……"

"自从你来以后，她醒着的时间越来越长了，以前从来没有出现过这样的情况……医生也说，这是好兆头……"

"是吗……"

俊浩像往常一样安静地坐到了床边的椅子上，然后对银英说：

"今天是最后一天了，这几天谢谢你……"

俊浩意识到银英的妈妈在旁边，于是低声对银英说道：

"昨天真对不起……"

银英依然没有说话，但俊浩又一次感觉到了她的笑容。

"你的意思是原谅我了吧……"

从第二天开始，俊浩总是坐立不安，爸爸妈妈和朋友们都问他："你没事吧？"但他总是觉得自己有什么事情没有做，好像丢了什么一样。

"你这家伙，马马虎虎的，肯定是丢了什么东西，真是！"

就这样恍恍惚惚度过了一周，俊浩终于找到了原因，疗养院！他肯定是把什么东西落在那里了。可能是书，也可能是别的什么，肯定是落在那里了。

俊浩再一次来到病房的时候，银英的妈妈非常惊讶，也非常高兴。俊浩又一次拉起银英的手聊了起来。他忘记了吃午饭、晚饭，一直聊着。他忘记了饥饿，忘记了疲劳。因为现在的时间对于他来说实在太宝贵了。

那天以后，俊浩还是每天去看银英，银英的妈妈也非常欢迎他、感谢他。

这天晚上，俊浩依然拉着银英的手说到深夜。

不知过了多久，俊浩看了看银英的面庞，她在笑着。每次俊浩给她讲故事的时候，她都这样笑着。

俊浩用力抓住了银英的手。

"呵呵……我……我……就是说……"

俊浩吞吞吐吐。

他想今天说，不，今天一定要说。他觉得口干舌燥，根本张不开口。最后，他缓缓说道：

"我，喜欢你……"

告诉一个人，我喜欢你，他终于说出来了。这是他23年来第一次说这句话。就在那一瞬间，俊浩感觉到银英的一个手指微微地抖动了一下。

"你……动了？"

俊浩马上去找护士，护士和医生也很快来到了病房。但是经过简单的检查之后，医生的回答依然是令俊浩失望的"No"！

"和以前相比确实有进展，但还不是时候。"

之后的一周时间里，学校里的功课和各种事情让俊浩忙得不能脱身。

当他再一次来到病房的时候，病房已经空了。

护士告诉他：

"昨天晚上，她的手指动了，医生也看到了，所以就转到大医院去了。"

俊浩从护士那儿得知医院的地址后，一口气跑了过去，然后从一群陌生人当中找到了银英的妈妈。她一看到俊浩，就拉着他哭了起来。

"谢谢你……这孩子能有今天多亏了你。医生说她的肌肉复活了，可以动了，谢谢，谢谢……"

俊浩好不容易让她冷静了下来，然后走进了银英的病房，像往常一样拉着她的手说：

"真是……真是太好了……"

俊浩的眼中也噙满了泪水。

医院虽然不像疗养院那么出入方便，但俊浩只要一有时间就去看银英。

就这样，六个月过去了，银英又有了很大进步。不知是从哪儿得来的消息，报纸和电视台的记者们也纷纷来到医院采访，兴奋地说这是"十年的奇迹"。的确，这是一件了不起的事情。

但是，不知道为什么，俊浩被一种不祥的预感笼罩着。

"很快，我就不能再见她了……如果她跟其他人一样，成了正常人……就不会再见我了，像我这样的人，她可能会连看都不愿意看一眼……"

他想起了几个月前自己对银英说喜欢她的那次。

"如果当时她能说话，会说什么呢？不用想也知道，她肯定对我这样的人……没兴趣。"

之后的几个月，俊浩真的不再去看银英。当然也留下了后遗症，从前的自卑又回到了俊浩身上，而且这一次俊浩更加痛苦。偶尔在报纸上看到关于银英的报道时，他真想马上跑到她的身边。但他还是摇了摇头。

"呵呵，忘了吧，这已经是过去的事情了……"

有一天，俊浩在回家的路上，看到了一个熟悉的身影站在自己面前。

"……？"

是银英的妈妈。

"啊，你好。"

银英的妈妈先打了招呼。

"怎么办？我怎么解释这么长时间都没有去看银英……"

"你没打招呼，就这么久不去看银英，我只好主动来找你了。对，对不起……我想这段时间你可能很忙。但是银英等你等得很辛苦，有空的时候过去看看吧，不管怎么说，你都是她的恩人……"

银英能够恢复可能只是偶然现象，但是银英的妈妈却认为这都是俊浩的功劳。她说，银英现在进步非常快，正在接受康复治疗。

俊浩问：

"她，还记得我吗？"

"当然，从你第一次来看她，她都记得很清楚。"

俊浩听了，脸一下子红了。

那……那天晚上我说的话，我的告白，她也都记得？

银英的妈妈拜托俊浩一定要去看银英，然后转身离去。在空无一人的街道上，俊浩一个人陷入了沉思。

几天后，俊浩再一次来到病房的时候，那里只有银英的妈妈一个人，她好像迎接一个离开家又归来的孩子一样异常兴奋。她说，银英正在接受康复治疗。

从康复治疗室巨大的玻璃窗能够看到里面的很多患者。银英的妈妈用眼神示意俊浩，银英就在里面。很快，俊浩就看到了银英正手扶金属栏杆，慢慢地挪动着脚步。她那长长的头发梳成了一条辫子，脸上满是汗水，衣服也被汗水浸透了，但却一直没有休息。

看到了银英，俊浩就想转身离开。

看到她健健康康就好了……现在，也没什么需要我做的事情了……

就在转身之际，他听到了康复治疗室里有人叫自己的名字。听起来不太熟练的发音，就像外国人说话一样，是银英在用不熟练的发音叫自己。回头一看，真的是银英。

"俊……浩……俊……浩……俊——浩！"

银英反复叫着俊浩的名字，慢慢走向他。她走得很慢，还有几次差点摔倒……

听到银英叫自己的名字，俊浩的腿像被什么东西绊住了一样一动不动站在那里。

"俊……浩！"

银英喊着俊浩的名字哽咽了，她怪自己的腿不听使唤，走得不够快，一步一步艰难地靠近俊浩。周围的患者都在为她让路，注视着他们。

看着一边哽咽着喊着自己的名字，一边走向自己的银英，俊浩在心里大声喊着。快到了，已经不远了，加油！

终于，历尽千辛万苦走过来的银英扑到了俊浩怀里。紧接着，四面八方传来了掌声和欢呼声……俊浩仔细地看着银英，她仍然哽咽着，用并不熟练的发音说：

"你……为什……么……不来……找我？"

她似乎是在埋怨俊浩。俊浩没有告诉银英，是怕她讨厌自己，怕她离开自己，才什么都没有说。

"对不起……"

银英继续哽咽着说：

"我……一……直……都……为了……你……努力……"

那一瞬间，俊浩激动得再也说不出话了。

"我……还……记得……那……天……"

银英把脸埋在俊浩怀里，接着说：

"我……想……说……我也……喜欢……你……"

说完，银英就大声哭了起来。俊浩拍着银英已经被汗水浸透的后背，哄着她。

傻瓜，我为什么这样胡思乱想呢？真是没用！

俊浩在银英耳边低声说道：

"谢谢你……还有……我真的……喜欢你。"

终于，他还是没有说出自己爱银英。

俊浩责怪着自己，真想找个地方把自己好好揍一顿。

"为什么，在这样的时候我还是没有勇气呢！"

银英抬起头，直视着俊浩说道：

"你……可以……说……我……爱你……这样……我会更……高兴。"

听了银英的话，俊浩把银英紧紧搂在怀里，久久没有放开。

　　　　　爱情不是获得，而是给予；不是享乐的梦想，也不是情欲的宣泄。爱情是善良，是名誉，是和平，是干净的人生。爱是奇迹的种子。

——凡·戴克

(Anthony Van Dyck，1599—1641，17世纪荷兰画家)

奇迹钢琴

在德国的一个小山村里，住着一位制作钢琴的年轻人。他跟随严厉的师傅学习了十多年，在制作钢琴的领域，已经到达了最高境界。

经过长时间的努力，进入匠人行列的年轻人终于决定制作一架属于自己的钢琴。他用了三年时间，倾尽全部心血终于完成了。那是一架没有人演奏也能发出动听音乐的钢琴。

"好了，现在只要拥有最纯洁心灵的两个人结婚，这架钢琴就会自动地响起。"

已经有很多姑娘对年纪轻轻就进入匠人行列的年轻人表达了爱慕之心。年轻人从姑娘中选了一位最美丽最善良的姑娘，向她求婚。

两个人在村里教堂举行婚礼的那一天，年轻人把这架"最好的钢琴"搬到了教堂。他想，宾客都会对它惊讶不已，想到这儿，他情不自禁地笑了。

结婚典礼开始了，但是直到整个仪式结束，琴声都没有响起。年轻人的计划遭受了重创，非常沮丧。

"怎么会这样，她看起来那么美丽，那么善良，看来实际上并非如此啊！"

年轻人当场跑出教堂，再也没有出现。

就这样，四十年的时间过去了。

几乎沦为乞丐的匠人四处流浪，偶然踏上了家乡的土地。走到教堂门口的时候，他发现里面聚集了很多人。大家都穿着黑色的衣服，看来是在举行某人的葬礼。

"是谁去世了？这么多人来参加葬礼？"

一个老人回答了他的问题。

"噢，是我们村子里最善良的夫人。她一生都在照顾村里的老人和孤儿们，是一位非常值得尊敬的人。她一生都在等待结婚时抛弃自己的丈夫，一辈子没有改嫁。一想到那个人，我真想……"

"……"

过了一会儿，匠人跟着众人走进了教堂。然后不顾众人的侧目，扑倒在水晶棺前。

"天啊！"

原来躺在水晶棺里的就是她的新娘。不知个中缘由的人们看到号啕大哭的匠人，都觉得很奇怪。

匠人因为过度悲痛几乎背过气去，当他倒在地上的时候，让在场所有的人都永远不能忘怀的奇迹发生了。四十年里，从未响起的钢琴发出了任何人都没有听过的十分美妙、十分动听的音乐……

真理，那就是生命。但是她不能存在于大脑中，她要去拯救别人的心灵，让别人懂得什么是人生，接受命运，并热爱生命。

——罗曼·罗兰
(*Romain Rolland*, 1866-1944，法国杰出作家)

幸运树

英顺和丈夫都是上班族，有一天有人打电话到英顺工作的公司。

英顺拿起电话，却没人说话；可是一放下，马上又会打过来，拿起来依然没人回答。

"是哪个家伙……？"

这样的电话打来了好几次。

英顺生气了，她等待着电话再一次打来，然后好好教训一下这个家伙。

电话又响了。

英顺拿起电话，生气地大喊道："你究竟是谁？"

这时候，她听到电话那边一个蚊子般的声音：

"妈妈……"

这是英顺的小女儿丽拉的声音。

英顺强忍住怒火，问道：

"丽拉，刚才的电话都是你打的吗？"

"是的，妈妈！"

"为什么打电话来却不说话？妈妈现在很忙，你知道吗？"

英顺根本顾不上问丽拉为什么打电话，训斥了几句，就把电话挂了。

之后，丽拉再也没打过电话。

下班后，英顺一回到家就找丽拉。丽拉正在自己的房间玩电脑游戏，似乎很投入。英顺拉着丽拉的手，问道：

"为什么打电话却不说话？啊？"

丽拉说：

"我想让妈妈闻一闻香香的味道……"

"味道？"

"就是……阳台上的……花……"

说着，丽拉指着阳台的幸运树。

丽拉说得没错，在洒满阳光的阳台上，十年才开一次花的幸运树绽放着美丽的花朵。

丽拉闻到了幸运树开花时香浓独特的味道，想让妈妈和自己分享，就打了电话。她把电话对着阳台，妈妈挂断了，就再打过去……

英顺时常把工作忙、没时间挂在嘴边，连家里什么花开了都忽略了。这时，她一把将丽拉揽入自己怀中，想了许多许多。

 没有孩子的地方就没有天国。

——A·C·斯温伯恩

(Swinburne，1837-1909，英国诗人兼评论家)

爱情是善良，是名誉，是和平，是干净的人生。
爱是奇迹的种子。

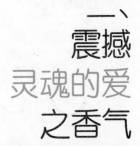

二、
震撼
灵魂的爱
之香气

小小的关心

有一天，比尔放学回家的路上，看到走在自己前面的一个同学不小心摔倒了，手里的东西都掉在了路上，书、文具盒、棒球手套和小录音机落了一地……

比尔马上跑过去弯腰帮那个同学捡东西。两个人同路，虽然那个同学一再谦让，但比尔还是帮他拿了一些东西。

两个人并排走着，比尔知道了那个同学名叫马克，喜欢电脑游戏、棒球和数学，除此之外其他科目非常糟糕，而且不久前和女朋友分手了，心灵受到了不小的伤害。

两人顺路来到了马克家。马克给比尔倒了水，两个人一起看了一部电影，还说说笑笑聊了很多事情，度过了一个愉快的下午。

从那以后，两个好朋友经常在学校碰面，偶尔也会一起吃午饭，聊得很开心。就这样他们度过了美好的初中时光，并进入了同一所高中，友谊越来越深厚。

在离高中毕业只剩一个月的时候，有一天马克来到比尔的教室。马克想着几年前他们第一次见面时的情景，给比尔讲述了这样的故事。

"比尔，你难道不想知道那天我为什么把那么多东西都拿回家吗？"

"……？"

"那天，我把学校柜子里的东西都拿回来了。因为我不想把自己的东西留给别人，那时候我已经偷了妈妈的一把安眠药，决心回家以后就自杀。

可是在跟你说笑聊天的时候，我的想法改变了。我想，如果我自杀了，就不能拥有如此美好的时光了，以后也不可能拥有更加美好的时光了。比尔，那天你在帮我捡地上的东西时，真的做了一件了不起的事情，你拯救了我的生命。"

谁都可以成为伟大的人，
因为每个人对别人来说都是必要的存在。

少女的爱

　　小时候，男孩家附近住着一个很可爱的女孩。

　　女孩有自己的名字，但男孩给她起了个绰号叫"面包顺"，因为女孩非常喜欢吃面包，特别是男孩家开的面包店做的面包。

　　于是，男孩总是背着爸爸妈妈从店里偷面包给女孩吃。

　　两个人就这样相亲相爱度过了三年。可是这一年，面包店的生意越来越差，一家人只好转卖了店面，搬到了很远的地方。

　　和女孩分别前，男孩跑到另一家面包店买来了女孩最喜欢吃的黄油面包，并把它作为最后的礼物送给了女孩。

　　可是女孩看到自己最喜欢的黄油面包时，却让男孩扔掉，而且双眼噙满了泪水。

　　男孩紧紧握住女孩的双手，说道：

　　"长大了你一定要嫁给我，我会每天给你做好吃的面包。"

　　就这样男孩离开了女孩。

　　男孩坐在拉着行李的卡车上离开了自己生活了多年的地方，留下了悲伤的泪水。

　　他暗暗下定了决心：

　　"我以后一定要开一家面包店，然后给女孩做世界上最好吃的面包。"

　　一个星期天，男孩在家里看妈妈做炸面圈。先把水倒入面粉中，然后放鸡蛋，揉成一个面团。妈妈把面圈放到油里炸好拿出来，男孩吃着美味的炸面圈，又想起了女孩。

有一天，爸爸妈妈都不在家，男孩决定自己做一次炸面圈。

他按照妈妈的做法和好面后，往锅里倒了油，点着了火。

可是，意外发生了，男孩不小心打翻了油锅，滚烫的油把男孩的手烫伤了，剧痛使他很快昏了过去。

男孩醒来时，已经躺在了医院里，妈妈正在床边哭着，他双手都缠着绷带。几天后，医生把绷带拆了，皮肤非常可怕，但并不影响双手的正常使用。

男孩还是非常思念女孩，并专注于做面包这件事情。随着年龄的增长，男孩成了一个颇有成就的面包师。终于，他可以去找女孩了。

"哪位？"

"你好？还记得我吗？我原来和你是邻居，我叫东民。"

"哦，是东民啊！"

"是的……英顺在家吗？"

"嗯，英顺……"

"对，我想找英顺。"

"这个……东民啊……"

刹那间，悲伤的表情掠过了女孩母亲的脸庞。

"英顺本来就有病……而且是绝症，就是血液里有癌细胞……所以她的身体慢慢……"

听了女孩母亲的话，男孩手里的面包掉在了地上。

双眼噙满泪水的母亲看到面包问道：

"你……为什么要买面包来？"

"这是我做的面包，是送给英顺的……"

"面包？她从来都不吃面包啊……"

"什么？"

男孩这才知道原来女孩那时就喜欢自己，从来不吃面包的女孩只是为了让自己高兴，才那么开心地吃着那些面包……

真挚的爱情就像美丽的花朵，越是干枯的土地越发衬托出花朵的美丽。

——巴尔扎克

(Honore de Balzac，1799—1850，法国杰出作家)

错过的爱

　　一位先生和一位小姐都在江南的一家服装设计室工作。两人进入公司的时间差不多，逐渐成了配合默契的同事和志趣相投的好朋友。

　　可是，不知从什么时候开始，这位小姐的心中有了另外一种想法，她爱上了这位男同事。但是不知为什么，每次面对他，她都会说些口是心非的话，或者谈论其他的事情，无法向他敞开心扉。

　　但实际上，这位先生也有同样的感觉，对小姐的感情越来越深，在她面前却只能装作毫无感觉。

　　两人就这样互相喜欢着对方，又怕自己的心思被对方看出来，小心翼翼地相处着，在朋友和恋人的警戒线上开始了一次长跑。

　　一次，有人给小姐介绍了一个以结婚为前提相处的男朋友，她抱着最后试探一下的心理，把这个消息告诉了那位先生。他听了之后，觉得天都要塌下来了。但是在小姐面前，他却说出了和自己想法截然相反的话。

　　"啊！祝贺你！你终于可以告别老处女这个称号了，真是太好了！"

　　而且还说，自己愿意亲手为小姐制作婚纱。

　　那天晚上，小姐被巨大的失落感折磨着，怎么都睡不着。但是她觉得，既然已经确认了先生对自己没有感情，就应该放弃。于是第二天，她以非常轻松的心情见了相亲对象。这个人确实各方面条件都非常好，给人第一印象也非常好。两人约会了三个月后，得到了双方父母的同意，婚期也订了。

　　结婚前一天晚上，小姐穿上了那位先生为自己制作的婚纱。但是婚纱有点奇怪，和其他的相比，要短 10 厘米左右。

"这是怎么回事儿？难道是尺寸量错了……"

可以临时调整，也可以换别的婚纱，但小姐没有这么做。

"不管怎么说这是他专门为我做的……"

小姐就穿着这件短一截的婚纱，顺利地举行了婚礼。

20 年过去了，小姐的女儿已经出落成了一位淑女，到了结婚的年龄。

女儿结婚前几天，小姐拿出了自己一直珍藏着的婚纱。她想可以改一改给女儿穿，可是女儿的个子比自己高多了，婚纱显得太短了，她只好把裙边的线拆开。

没想到，就在她拆线的时候，里面掉出了一封已经褪色的信。

"我不能让你这样嫁给别人，我爱你，虽然你明天就要结婚了，但我还是希望你能回到我的身边……"

这就是男人第一次也是最后一次绝望的告白。

我们总是到了最后，才能刺骨地感觉到自己犯下的一切错误。

——约翰·雷

(John Ray，1627-1705，英国著名博物学家)

告白

对于她，我了解很多。

早上她一定会喝咖啡，不是摩卡，而是两杯黑咖啡。

她总是周二和周五洗澡。

她说话之前，总是先说"嗯……"。

她现在就坐在我的后面，看着窗外。她现在想的是什么，我也知道。

如果别人请她帮忙做一些她不喜欢做的事情，她也只是一笑而过。

她很少把喜怒哀乐表现在脸上，高兴的时候会轻轻地敲两下你的胳膊，然后小声和你聊天。

她的家人都会在10点之前睡觉，所以和她打电话到很晚是非常难的。

和裤子相比，她更喜欢裙子，还喜欢粉红色。

她的头发虽然不是很长，但总是长发，她周三之前用褐色发圈，周四到周末用白色发卡。

她发音标准，但叫别人名字的时候会掺杂一些方言的语调。叫自己特别喜欢的人时，总是喜欢叫两次。

我知道，现在她一定在图书馆的那个角落里写日记。

还有——

我还知道她现在还不爱我……

他不知道的事情实在太多了。

他不知道我每天早上煮的咖啡是给他的。

他不知道我总是在和他一起上课的那天洗澡。

他不知道有很多话我是专门说给他听的。

他不知道我现在坐在他身后看着窗玻璃上映出的他的身影。

他虽然知道我可以默默把不愿意做的事情做好，但不知道我的沉默其实是一种肯定。

他不知道我高兴的时候，多么想拉着他的手说话。

他不知道我在深夜也会等着他的电话，在漆黑不见五指的深夜里多么想念他。

我喜欢牛仔裤，但我不能穿，因为他喜欢女孩穿裙子，而且喜欢粉红色的。

他不记得，几年前他和几个朋友一起送了我褐色发圈，他还说过喜欢女孩戴白色发卡。

他不知道，我只有在叫他的名字时，才掺杂一些方言的语调。

他不知道，我现在的日记本上写满了他的名字……也不知道我多么爱他……

误会就像织袜子时漏掉了一针，如果刚刚漏掉的时候补上，就可以马上解决问题。

——歌德

(Goethe，1749-1832，德国杰出作家、哲学家、自然科学家)

最后一封信

　　美国阿拉斯加州有一座山峰，因很多人曾在这里丧命而闻名。来往的运输司机们都对这座山充满了恐惧和敬畏。

　　到了冬天，盘山公路都被冰面覆盖着，尤其危险。马路旁边就是悬崖峭壁，很多卡车司机都在这里丢了性命，也不知道今后会有多少人在这里走完生命的最后一程。

　　布其也是他们中的一员。这天他奔驰在高速公路上，遇到了加拿大山地警察队。在救助队员和看客们的包围圈中，一辆巨大的起重机从陡峭的悬崖中吊起了一辆坠落下去的卡车。布其把车停到路边，看着已经面目全非的卡车被慢慢吊起。

　　这时候，一位警察对议论纷纷的看客们小声说：

　　"我们到达时，司机已经死亡。大概是两天前遭遇了那场暴雪，滚到悬崖下面去的。我们看到车体反射的阳光才发现了这辆卡车。"

　　警察一脸惨淡的表情，轻轻摇了摇头，把手伸进自己的羽绒服里，拿出一张纸。

　　"这是司机留下的信，是在他冻死之前的几个小时里写下来的。"

　　这位高速公路巡逻警察的名字叫史密斯，布其从来没有见过他的笑容。因为他总是要面对那些可怕的现场和惨烈的死亡，已经习以为常了，所以布其觉得他不会为这名死去的司机掉下眼泪。但当史密斯把信递给司机们的时候，却用手擦了擦眼泪。

　　这封信开始在大伙儿手中传阅。每一个读过的人都会流下眼泪，布其也不例外。

　　过了一会儿，人们渐渐散去，布其也回到了自己的卡车上。但那封信的内容却牢牢地占据着他的心。

亲爱的苏珊：

　　我想任何一个男人都不会想写这样一封信。

　　但是我现在可以把平时想说却忘记说的话写下来，这也算是幸运吧。

　　我真的很爱你，这就是我要对你说的话。

　　你总是说，我爱卡车胜过爱你。你总是抱怨我和卡车在一起的时间比和你在一起的时间长。你说得没错，我真的发疯一样地喜欢这堆钢铁，而且它对我也非常忠诚，它和我一起度过了很多辛苦的日子，经历了很多艰难险阻。真的，这辆卡车载着那么多货物，也没有一句埋怨，直到现在从来没让我丢过脸。

　　但是苏珊，你知道吗？我也是这样爱你的，你也和我一起度过了很多辛苦的日子，经历了很多艰难险阻。

　　苏珊，你还记得我们的第一辆卡车吗？虽然出问题的频率绝不亚于我们吃饭的频率。但是它帮我们赚的钱使我们免于饥饿。为了付那辆卡车的分期付款，你也必须出去找工作，你的收入勉强能支付房租，而我的收入则全都投到了卡车上。那时候我总是对那辆古董卡车发很多牢骚，但拖着疲惫的身体回到家中的你却从来没有一句埋怨。现在，你为我所放弃的一切都浮现在我眼前。

　　新衣服和休假，朋友之间的聚会，Party……对于这一切你毫无怨言，我对于这样的你也从来没有说过一声感谢。和朋友们一起喝咖啡的时候，我总是谈起卡车和各种零件。你也许永远都不知道，虽然没有和我一起坐在驾驶舱里，但你是我永远的伙伴。

我们终于买了梦寐以求的新卡车，与其说是我努力工作的结果，不如说是苏珊你默默地牺牲和果断决定的结果。对于新卡车，我感到很骄傲，但我从来都没有在你面前表现过这种骄傲，因为我觉得你肯定会知道的。如果我能把给卡车打蜡的时间腾出一半来跟你聊天……

　　在公路上奔驰的漫长岁月中，我一直都清楚地知道，你的祈祷时刻伴随着我。这次，大概是你的祈祷少了点吧。我今天意外遭遇了事故，而且情况不妙。看来，这是我最后一次驾驶卡车了。现在，我想对你说一些早就应该跟你说而一直没时间说的话，那些因为把精力集中在卡车和工作上，而疏于对你说的话。

　　苏珊，我想起了那些我总是记不住的纪念日，你一个人去参加的各种聚会，包括孩子们学校里的活动和冰球比赛，还有那些你一个人度过的夜晚。每次给你打电话，听到你的声音后，都想问问你在干什么，心情好不好，但不知道为什么却总是说不出口。家里人聚会的时候，亲戚们问我为什么没参加，那时你一定很难堪吧。不是正在更换引擎，就是在检查车况，要不就是第二天一早要出发，需要休息……反正我总是有各种各样的理由，但是现在想来，那些事情对我来说也没那么重要。

　　刚刚结婚的时候，苏珊你连灯泡都不会换，可是两年以后，你已经可以在我外出运货的时候，自己修暖气了。你甚至还成了优秀的机师，可以协助我修理卡车了。当你坐到方向盘前，发动引擎倒车的时候，我真的很激动，真为你感到骄傲。

　　不管是下午两点，还是深夜两点，在我眼里，你总是像明星一样，充满了魅力。你真是绝代佳人，虽然我从来没有对你这样说过，但是我觉得你是比任何一个女人都要漂亮的大美人。

　　在我的人生中，做错了很多事情。如果说有什么事情是做得非常明智的，我觉得就是向你求婚。无论在我高兴或悲伤时，你总是陪伴在我身旁。我爱你，也爱我们的孩子。

　　苏珊，我现在受了重伤，但是我心里的伤痛更加剧烈。当我结束这次旅行的时候，再也见不到你了。从我们一起生活开始，这是我第一次感到孤独，我害怕孤独，我现在非常需要你，我知道现在一切都已经晚了。有趣的是，此刻陪伴在我身边的只有卡车，就是长久以来支配着我们生活的该死的卡车。

　　你现在在几百公里之外的地方，但我能感觉到此刻你和我在一起。一想到我要一个人走完人生最后一程时，我就很害怕。告诉我们的孩子，我非常非常爱他们，还有就是不要让他们中任何一个人开卡车。

　　苏珊，我感觉到时间快到了，我很担心今后你要怎样生活。请你记住，在我的人生中，最爱的人就是你。我想说的就是这些……

　　再见，我的爱……

我们从哪里来——爱
我们靠什么完善自己——爱
什么震撼我们的心——爱
什么使我们幸福————爱
我们为何灭亡——因为没有爱

——歌德

在我的人生中，做错了很多事情。
如果说有什么事情是做得非常明智的，
我觉得就是向你求婚。

用灵魂去爱

　　有一个年轻人在农村和父母一起靠种地生活。他长相英俊，性格爽朗，很会照顾别人，几乎没有什么缺点。但是没有一个姑娘愿意嫁到农村来，所以年轻人已经三十多岁了，却还没有结婚。

　　有一天，年轻人上网的时候偶然认识了一个姑娘，并开始互发邮件。他们都用了网名，他叫"大海"，她叫"绿色小鱼"。年轻人觉得姑娘学识丰富，为人谦虚，很善良，而且对于农村也有很多了解。

　　随着电子邮件的逐渐增多，年轻人对姑娘开始有了粉红色的思念。就在两个人走得越来越近的时候，年轻人认为时机已经成熟，于是向姑娘求了婚。

　　但是姑娘的态度逐渐被动，总是退缩。在年轻人求婚之前，他们一天的邮件都可以有三四封，但是求婚之后，隔了一周年轻人才勉强收到了姑娘的邮件。

　　年轻人很失望，姑娘曾经是自己那么信任的人，那么确信爱自己的人，于是他更加绝望。

　　"是啊，有谁会愿意在农村生活呢，只是我的梦想而已……"

　　年轻人整天魂不守舍，干什么都不在状态。

　　对于姑娘，他知道的很少，只知道她网名叫"绿色小鱼"……他没想到自己会对一个素未谋面的姑娘投入这么深的感情。从来没有惧怕过任何东西的年轻人开始害怕姑娘从此消失，再也联系不上……

整整一个月，年轻人都没有收到姑娘的邮件，不知是有意躲闪还是因为其他事情。年轻人又一次把自己热切的愿望写入了电子邮件，发给了姑娘。又一个月过去了，年轻人日思夜想的"绿色小鱼"终于写来了回信。

大海！

关于我可不可以爱你这个问题，我烦恼了很久。

现在到了该把真实情况告诉你的时候了。

我从小就得了小儿麻痹，一条腿残疾。而且因为遭遇火灾，脸上留下了可怕的疤痕。所以我根本不能上班，只能每天在家里待着。

我一无所有，没有人会多看我一眼。通过网络，我认识了很多人，但是网友们知道了我的真实情况后就都杳无音信了。从那以后，如果哪个人对我有好感，我就会主动要求不要再继续了。在没有开始真正的爱情之前就放弃，我觉得这样的自己太可怜了……所以，我不能和你见面。知道了这一切之后，你觉得还能像以前那样爱我吗？

年轻人眼前一黑，这是他翘首以盼的回信，但是当他知道了一切之后，非常失望……

年轻人一向认为灵魂要比身体更加重要，所以他更加痛苦。自己总是跟别人强调精神世界的重要性，可现在不也正在为外表苦恼吗？原来自己也只是个伪君子而已！

连续好几天，年轻人一直煎熬着，终于，他下定决心，给姑娘写了邮件。

亲爱的绿色小鱼：

现在，我该对你说我爱你了。

绿色小鱼，这段时间我很烦恼。

最后我觉得拥有健康体魄的我对于你，和拥有美丽灵魂的你对于我都是同等重要的。你所认为的自己的缺点，对于我来说反而是一种赐予。

绿色小鱼，你在我这个大海的怀抱中尽情畅游的那一天，我才真正拥有了爱你的资格……

在确认了彼此的心意之后不久，他们见面了。

虽然年轻人觉得姑娘过来不是很方便，但是姑娘说想知道年轻人究竟是怎样生活的，于是他们决定在年轻人村里以前的小学见面。

终于，见面的日子到了。年轻人提前一个小时在小学前的大树下等着。

约定的时间已经过了二十分钟，一位身材窈窕的小姐拄着拐杖，头上戴着黄色纱巾，一瘸一拐出现在年轻人面前。

"你就是绿色小鱼吗？"

"你是大海？"

姑娘羞涩地低下头，说道：

"现在，让你看看我的真面目。"

"……？"

姑娘摘掉墨镜和纱巾挂在了树枝上，那一瞬间，年轻人两眼瞪得圆圆的，双颊发烫。姑娘的脸上一道疤痕都没有，而且五官非常清秀，是一位美人。

过了一会儿，姑娘放下拐杖，坐到了树下的椅子上，灿烂地笑着。

"吓着你了吧？"

"这到底是怎么回事……"

姑娘说道：

"我不是一开始就想瞒你的，只是我想找一个真正爱我灵魂的人。现在我可以在你这片大海中畅游了吗？"

"当然，绿色小鱼。"

年轻人泪眼蒙眬，紧紧抱住了姑娘。

不要说爱情是白费的，爱情不会是白费的，就算没能润泽对方的心灵，但是却可以像雨水一样再一次回到他们的生命中，充满了惊喜。

——朗费罗

(Henry Wadsworth Longfellow，1807-1882，19 世纪中期美国最享盛名的诗人)

妈妈的爱

一位年轻人和自己的母亲一起生活，工作非常努力。有一天，他在外出回家的路上出了交通事故。听到这晴天霹雳般的消息，年轻人的母亲来到了医院。年轻人受了重伤，从此双目失明。

突如其来的变故使年轻人陷入了绝望，怎么都不肯面对现实。他不肯说话，整天郁郁寡欢。妈妈也非常痛苦。

有一天，年轻人得知了一个好消息，一位不肯透露姓名的人愿意把自己的一只眼睛捐赠给年轻人，可是绝望的他连这个消息都不肯接受。最后在妈妈的极力劝说下，年轻人接受了眼球移植手术。

幸好，手术非常成功。手术后的几天，他的眼睛一直缠着绷带。就在这几天，年轻人还一直埋怨自己怎么能靠一只眼睛生活，妈妈只是默默地听着，一句话都没有说。

年轻人手术后的一周，医生为他拆开了绷带，重见天日的他这才知道了事情的真相，并流下了悔恨的泪水。

"对不起，我想把两只眼睛都给你，可这样我又怕自己成为你的负担……"

母亲终于哽咽得说不出话来，儿子也……

妈妈的爱很多很多，但孩子很少想起；孩子的孝道虽然微不足道，但却很喜欢以此为荣。孩子不愿侍奉母亲，而母亲对孩子却没有什么要求，母亲养育孩子的心情，有谁知晓？劝你一句，不要相信那些自私的孩子的孝道。孩子爱不爱自己的母亲，完全由你决定。

——《明心宝鉴》

短暂的相逢，长久的离别

　　几年前，一位活到 80 岁高龄的希腊老奶奶的故事感动了全欧洲。

　　她的故事要从 1941 年 8 月，20 岁的意大利军少尉路易斯·苏拉杰被派遣到希腊伯罗奔尼撒半岛西北部美丽的港口城市帕特雷开始讲起。

　　有一天，在行军的路上，路易斯向一个坐在自家门口的姑娘问路。这姑娘名叫安格里奇·斯特拉提高乌，双眸又大又黑，是位充满魅力的小姐。

　　年轻的路易斯是一位仪表堂堂又多情的上校。他发现眼前的姑娘正在被饥饿折磨着，于是把自己的粮食分给了她。

　　两人从此越走越近，路易斯三天两头就拿着食物去姑娘家。姑娘教路易斯希腊语，路易斯教姑娘意大利语，就这样他们互相占据了对方的心。

　　短暂的幸福随着 1943 年意大利宣布投降而结束了。匆忙准备回国的路易斯找到安格里奇，希望自己能够拉一拉她的手。但是姑娘怕自己和敌军长官恋爱的事情被人看到，拒绝了路易斯。但是当路易斯说 "等战争结束了，我们结婚吧" 的时候，姑娘安静地点了点头。

　　战争结束后，路易斯回到了故乡意大利南部的雷吉奥卡拉布里亚。他一直和安格里奇保持着书信联系。当时安格里奇寄住在姑妈家，姑妈不能容忍自己的侄女和敌军长官恋爱，每当收到路易斯的信件时，就偷偷销毁。

　　路易斯写了无数封信，却没有得到任何答复。于是在写第一封信之后的第一千天，他决定忘记她，不久就和其他人结了婚，生了一个儿子，过着平凡的生活。1996 年，他的妻子离开了人世，对于过往爱情模糊的记忆又在他心中复生。

他给帕特雷的市长写了封信，讲了自己的故事。市长在当地记者的帮助下，找到了还生活在那个城市的安格里奇。

"我知道，迟早会有这么一天的。"

得知消息后，安格里奇脱口而出。

路易斯掩面哭泣，因为他知道安格里奇在这 56 年中仍然遵守着两人结婚的约定，一直孑然一身。

不久，路易斯用颤抖的声音向安格里奇求了婚，安格里奇也激动地接受了。这一年，路易斯 77 岁，安格里奇 79 岁。

但是，婚礼并没有如期举行，因为安格里奇卧病在床了。在他们决定举行婚礼的前两周，安格里奇离开了人世。

安格里奇去世前几分钟说："我对你的爱从未消失，一直在等待你的归来。"她的胸前还放着两张写有意大利语"永远的爱"的明信片。

但是，令人惊讶的是，路易斯至今都不知道安格里奇去世这件事情。因为周围的人都小心翼翼地保守着这个秘密，至于结婚日期，也只是告诉路易斯要延期。

现在，每个周六早上，路易斯都会拿起笔写一张以"永远的爱"结束的明信片，寄给安格里奇。

这些明信片不断地被放到安格里奇的墓地。

在这个世界上，没有一个人见过上帝。但如果我们彼此相爱，上帝就会在我们心中停留。

——陀斯妥耶夫斯基

(Fyodor Dostoyevsky，1821-1881，19 世纪俄国杰出作家)

美丽的银婚典礼

在一颗豆子都要掰成两半吃的年代，有一对夫妻每顿饭都分吃一块面包，两个人非常努力，过着节俭的日子。他们可以用爱和理解战胜穷困和所有的逆境，一直过着安稳的生活。

结婚四十周年那天，夫妻两人邀请亲朋好友举行了银婚仪式。很多朋友和亲戚都表达了真挚的祝福，两人非常幸福。

那天晚上，客人散去后，夫妻两人坐在餐桌前。一整天，两人都为了照顾客人忙得晕头转向，没吃什么东西，于是决定在一块烤面包上抹上果酱，两人分着吃。

"这样和你分一块面包吃，让我想起了以前穷困的时候。"

老爷爷这么一说，老奶奶点着头，脸上泛起了微笑，眼前浮现出过往的日子。

老爷爷和过去四十年中的每一天一样，把面包的尾部掰下来给了老奶奶，可是突然老奶奶涨红了脸，生气了。

"哼，今天这么重要的日子，你想给我吃这么厚的面包皮。"

"……？"

"过去四十年，我每天都吃你给我的面包尾巴。我虽然很不乐意，但是拼命忍着……没想到，像今天这样特别的日子，你还是这样。"

老奶奶委屈得哭了起来。老爷爷被老奶奶突如其来的反应吓了一跳，半天不知道该做什么。过了一会儿，老奶奶不再哭泣，恢复了理智后，老爷爷吞吞吐吐地说道：

　　"你要是早这么说就好了……我真的不知道……但是，你知道吗？又硬又脆的面包尾巴其实是我最爱吃的部分。"

　　"……！"

就像我的爱很珍贵很美丽一样，别人的爱不管多么微不足道也同样珍贵和美丽。总是记得自己获得的东西，总是觉得自己的付出还不够多的人，这样的人是最美丽的人。

米开朗基罗的雕像

米开朗基罗经过一家大理石商店的时候，看到了一块巨大的大理石。于是走进去问老板，这块大理石多少钱？

老板回答道：

"这块大理石不卖，在过去的十年中，我们试图卖掉它，但却连多看一眼的人都没有。您也看到了，我们的店铺很小，这块石头几乎占据了大部分空间，我们正为此头疼呢，如果您想要的话，我们愿意白送给您。"

就这样，米开朗基罗免费获得了大理石，并把它搬到了自己的工作室。

一年后，米开朗基罗请大理石商店的老板到自己的工作室做客。

"您过来看看，那块大理石变成了什么……"

老板惊呆了，那是一尊圣母玛利亚抱着从十字架上放下来的耶稣的雕像，耶稣躺在玛利亚的膝盖上。这在米开朗基罗的作品中也是一个杰作，是目前世界上最伟大的雕塑之一。

老板问道：

"这么伟大的雕塑是怎样诞生的？"

米开朗基罗回答道：

"那天，我经过这块大理石的时候，耶稣叫住了我，并对我说'我现在躺在这块大理石中，你把不必要的部分都拿掉，让我显露出真面目吧'。然后我真的在大理石中看到了耶稣躺在母亲膝盖上的形象。正因为里面隐藏着这样的形象，这块大理石才会那么奇妙。我只是遵照耶稣的吩咐，把不必要的部分都拿掉了而已。"

从那以后，这尊雕塑被展示在梵蒂冈，十几年前被一个疯子砸掉了耶稣和玛利亚的头部，这份美丽也被毁掉了。警察逮捕了疯子，但木已成舟。

　　在法庭上，疯子说道：

　　"我不是米开朗基罗，所以创作不出那么伟大的雕塑作品，但是我可以破坏它。这样我的名字也可以载入史册，而且我第二天马上就是报纸的头版人物。现在我成功了，我愿意接受处罚。"

　　法官听了疯子的话，哑口无言。这个疯子竟然为了上报纸的头版头条，为了自己的名字众所周知，而毁掉了实际上最美丽最有价值的艺术品。

　　你要和米开朗基罗拥有同样的眼睛，这样的人才能像 X 光一样看透一切，在谎言中看到真实。

让人心痛的故事

　　惠英是移动电信局的业务员。

　　有一天，下着大雨。不知为什么，那天前来投诉的顾客特别多，惠英也觉得很烦。但是为顾客服务是惠英工作的宗旨，不管对方大声喊叫，还是骂人，惠英都要无条件地忍受。只能不断说："对不起，非常抱歉，我们会马上为您解决问题。""我们会尽量保证同样的情况不再发生……"

　　这时候电话铃响了，虽然心情很糟糕，但惠英尽量用最亲切的声音说道：

　　"我是某某通讯公司李惠英，我们将竭诚为您服务。"

　　"嗯……麻烦你把密码告诉我。"

　　一听声音就知道是一个年龄很小的女孩子。

　　惠英努力用愉快的声音问道：

　　"能把您的电话号码告诉我吗？"

　　小女孩把号码告诉了惠英。

　　"号码主人的姓名能告诉我吗？"

　　"就是我，您快点告诉我吧！"

　　这句话非常唐突。

　　"可是这个号码在我们公司注册的是一位男士的名字。不是您本人吧？"

　　"是我弟弟，我是姐姐，快点告诉我吧。"

惠英努力克制着自己的不满说：

"对不起，顾客的密码只能告诉本人，我们公司的工作时间到晚十点，你让本人再打电话给我们吧。"

但是对方却说出了出乎意料的话。

"我的弟弟死了，死人怎么给你打电话？"

但是惠英根本没有动摇。她时常会接到为了探听别人密码而撒谎的人的电话。

惠英用有点严厉的口气说道：

"如果真是这样，就要办持有人变更手续。我们需要死亡证明和您的身份证，还有你是未成年人，所以请把父母的证明书传真给我们。"

"怎么这么麻烦？快告诉我！"

小女孩有些不讲道理了，惠英慢慢嘱咐道：

"能让你的父母接电话吗？"

这时候，惠英听到了电话那边小女孩和爸爸之间的对话。

"爸爸，这位小姐让爸爸接电话……您快让她把密码告诉我，快……"

紧接着，一个似乎是小女孩父亲的人接了电话。

"您好！"

"您好，这里是某某通讯公司，刚才那位顾客要求我告诉她密码，我能和号码的持有人打电话吗？"

这时候，对方用有些尴尬的声音回答说：

"你是说我的儿子吗？六个月前因为交通事故离开我们了……"

"……！"

原以为小女孩在撒谎的惠英暗暗吃了一惊，她没想到小女孩说的是真的。

小女孩的爸爸大概是觉得有些抱歉，没有说什么，过了一会儿，他问女儿：

"你要密码做什么？"

电话那边，小女孩生气地说道：

"妈妈总是打小贺的电话，一听到电话留言就哭，得知道密码才能把电话留言消掉！"

惠英突然觉得胸口被堵住了。

小女孩的爸爸问：

"怎么才能知道密码？"

"嗯……密码只有持有人才知道，所以要办理持有人变更手续。请把医疗保险证明和身份证复印件传真给我们……"

"我知道了。"

"好的，谢谢您……"

电话挂断了，但不知为什么惠英充满了愧疚，失魂落魄地坐在座位上。

惠英禁不住好奇心，小心翼翼拨通了小贺的那个号码。

"你好，我是小贺，谢谢你给我打电话……"

这是电话持有人的留言录音，惠英又确认了小贺的留言信箱，传来了刚刚通过电话的小女孩的爸爸的声音：

"小贺，是爸爸……我知道爸爸这样给你留言，你也听不到，但今天爸爸太想你了，没有别的办法……对不起，小贺……爸爸今天去喝酒了，因为想你……我知道你不喜欢爸爸喝酒……你冷吗？小贺，想不想爸爸？"

惠英不知道自己那天是怎么过的，她的心口很痛，痛得难以忍受……

虽然儿子已经不在人世，但小贺的妈妈听着儿子的电话录音，每天晚上痛哭着。女儿看在眼里，实在不忍心，于是拨通了通讯公司的电话……

爱是颤抖的幸福，在离别的时刻到来之前，谁都不知道爱的深度。

——卡里·纪伯伦

(Kahill Gibran，1883-1931，黎巴嫩著名诗人、哲学家、艺术家)

三、一种名叫牺牲的香气

妈妈的坟墓

　　一个下着鹅毛大雪的冬天，山势又高又险的江原道①的某个小山沟里来了两个人。年龄稍大一点的是美国人，另一个年轻些的是韩国人。

　　两人踩着厚厚的雪，走了差不多一整天，终于来到了山沟里的某个坟墓前。大概是很久没有人来了，坟上积了厚厚的雪，墓碑看起来也非常简陋。

　　年长的美国人对年轻人说道：

　　"这就是你妈妈的坟墓，鞠个躬吧……"

　　年轻人扑通一声跪倒在雪地上。

　　这个故事发生在 1952 年。那时，韩国由于朝鲜战争的摧残，已经成了不毛之地。为了挽救败局，韩国为联合军增援了一批士兵，韦尔森就是其中一员。当时最激烈的一次战斗就发生在这个小山沟里，夜以继日的血战已经持续了好几天。

　　人民军的强烈攻势使得联合军节节败退，撤退途中韦尔森离大部队越来越远。于是他决定一个人到另外一个集结地去，这时候他突然听到了奇怪的声音。

　　"……？"

　　仔细一听，是婴儿的哭声。韦尔森顺着哭声走去，原来是从一个雪窟窿里发出来的。他本能地扒开积雪，被眼前的景象惊呆了。

　　在一个母亲的怀里，婴儿大声地哭着。更令人吃惊的是，母亲一丝不挂。

---

① 位于朝鲜半岛中东部，横跨朝鲜和韩国的分界线。

面对眼前的景象，韦尔森无法做出判断。

原来是一位母亲背着孩子避难的时候，被困在了这个山沟中。这里前不着村，后不着店，又下起了大雪，为了救活自己的孩子，母亲把自己所有的衣服都给了孩子。然后把孩子紧紧抱在自己怀里，虽然赤裸的母亲已经死去，但她怀中的孩子却活了下来。

韦尔森被这意外的景象深深感动了，无法就这样默然转身。他用野战工具在冰冻三尺的雪地上挖了坑，把这位母亲埋葬了，然后抱着大哭着的婴儿追随大部队去了。战争结束后，他领养了这个孩子，并把他带到美国去抚养。孩子慢慢长大了，长成了仪表堂堂的年轻人，韦尔森把当年的故事告诉了孩子，于是他们来到山沟里找妈妈。

跪在坟墓前的年轻人的泪水像断了线的珍珠一样。

过了一会儿，年轻人站起身开始拨开坟墓上的积雪，他大汗淋漓地把周围的积雪都清理完了，然后把衣服一件件脱下来，盖在了坟墓上。就像给母亲穿衣服一样，他用自己的衣服把整个坟墓都盖住了。然后扑倒在坟墓上，把长久以来藏在心里的话说了出来。

"妈妈，这么多年您多冷啊！"

看看所有伟人的足迹吧，他们走过的路都是充满苦难的、自我牺牲的道路。能够牺牲的人才有可能伟大。

——G·E·莱辛

(Gotthold Ephraim Lessing，1792-1781，德国作家)

幽灵号的船长

比林是幽灵号的船长，大家都很怕他，觉得他是个很危险的人，甚至大部分人认为他根本就不存在。大家不想见到他，也不想了解他。就算看到了他，也会装作没看见，努力把他从记忆中抹去。

但比林是幽灵号的船长……

很久很久以前，即将结婚的比林与未婚妻带着自己的母亲一起去了大海。未婚妻和母亲都喜欢宽阔的大海，三个人在甲板上度过了非常幸福的时光。

可是平静的海面突然掀起了巨浪，突如其来，让三个人束手无策。

比林艰难地抓着船栏杆，母亲和未婚妻却被巨浪卷入了大海。

两人大喊着救命向比林伸出了手，但情况太危急。他只能先救一个人，两个人却都用绝望的眼神看着他，比林的命运只能由汹涌的波涛决定了。

就在那短暂的一瞬间，比林要做出决定，但很难抉择。于是他闭上双眼，把手伸向了两人中间。

很快，一个人似乎抓住了他的手，比林把选择的权利交给了母亲和未婚妻，两人中求生意识更强的一个就是比林的选择。他……很难抉择！

之后，比林和活下来的未婚妻结了婚，然后开始造船。

造那种能够在任何风浪中都巍然不动、设备完善、比大海更加强大的船。他们还生了一个漂亮的女儿。

20年过去了，梦寐以求的船终于造成了，在这样一个值得庆祝的日子里，比林的女儿带着一个男人出现了。

两人说，他们深爱着对方，比林为了表示祝福，决定让他们成为那艘船的第一批客人。

船开始乘风破浪驶入大海，女儿和他的爱人在甲板上欣赏着美丽平静的大海，沉浸在幸福中。

可是，海面突然波涛汹涌，就像20年前的那天一样，似乎巨浪在过去的岁月中一直等待着比林。比林让女儿和她的男朋友先到船舱里躲一躲，但是背后的巨浪并没有放过他们。

幸好，女儿还在甲板上，但是她的爱人和比林却落入了海中。

在海水中挣扎的比林望着女儿，从女儿的脸上，他看到了20年前自己的影子。女儿并不知道比林的过去，但却和他惊人地相似。面对这样的女儿，比林感觉到了恐惧。他用尽全身的力气看着女儿的眼睛，但女儿却像当年的比林一样闭上了眼睛。出人意料的是，女儿的手伸向了比林。

过了一会儿，比林拉着女儿的手好不容易爬上了甲板。但就在这时候，女儿又一次跳入了大海，她跟着自己所爱的人，一起去了大海……比林闭上了眼睛……

比林一直没有睁开眼睛，肆虐的海浪逐渐平静的时候，比林回头看了看大海。

就在这时候，他看见了远处的一条白色救生船，船上是女儿和她的爱人，两人被救了。过了一会儿，救生船调转了船头，把孤独的比林留在了大海上。是的，比林留在了大海上，救生船和陆地都没有向他招手。

从那以后，比林随着海浪在茫茫大海上四处流浪着，偶尔也会看到载着游客的游艇。

但是他们说比林的船是幽灵号，还说他是恶魔，都躲着他。于是，比林就成了传说中的幽灵号船长。

 人生的难关就在于选择，人生就是在不断的选择中存在的。

——J·莫勒

(*Johann Adam Möhler*，1796–1838，德国天主教史学家)

救别人才能救自己

登山队员基尔站在通向阿尔卑斯山最高峰的狭窄通道上，一路陪伴着自己的导游已经整理好了行李。导游与基尔握手，两人要在这里告别了。导游要下山，基尔则要向最顶峰发起冲击。

导游没有忘记最后给基尔一个忠告。

"一定要记住，绝对不能睡着。无论如何都要坚持朝前看，一直走，不能停下。"

"不要担心，我登山也不是第一次了，我相信自己可以征服这座山峰，安全下山的。"

道别后，导游下山了。基尔充满信心地踏上了通往顶峰的征途。

基尔独自攀登着，说实话要比想象的辛苦，体力消耗很大，而且时间也很长。没过多久，基尔就累得身体摇晃起来，最终迷路了。

周围黑黢黢的，寒风凛冽。离露营地还有一段路。基尔冻得全身像冰块一样，腿部的肌肉已经僵硬得无法走路了。但是最难忍受的还是不断袭来的困倦，为了赶走睡意，他拼命睁大眼睛，可都是徒劳。

忽然，基尔发现了眼前有一块大石头，他有些放心了，也许可以在石头后面躲一躲风，休息一下。可是走近石头一看，却发现那不是一块石头。

"……！"

虽然看不到那个物体有任何动静，但那分明是一个人，并且已经晕倒了。走近一看，呼吸也已经非常微弱了，如果就这样躺在那里，很可能就没命了。

基尔犹豫了一下，在保证自己生命都很困难的恶劣条件下，背一个人下山是很危险的事情。但是眼看着这个人要失去生命，基尔不能坐视不管。

　　已经没有犹豫的时间了，基尔把背后的行囊换到了前面，然后背起了那个人。一步一步冲破伸手不见五指的黑暗，朝露营地走着。基尔咬紧牙关，竭尽全力移动着双腿。虽然比一个人下山的时间多出了一倍，但基尔终于安全到达了露营地。

　　基尔救回来的人被冻伤了，不过保住了性命。基尔喝着滚烫的咖啡，暖着身体，领悟到了一个道理。如果没有看到石头后面的那个人，自己很可能就会睡着，这样一来，冻死在山上的人就是自己。

　　基尔珍视别人的生命，同时也挽救了自己的生命。

做善事没有尽头，现在环顾一下周围，你会发现很多需要帮助的人。用你的慈悲帮助他们吧，为别人服务、帮助别人就是不再失败的唯一投资。

有声音的布料

　　一位年轻美丽的小姐走进一家布艺店，女店员走过去亲切地打了招呼。

　　"请进，请问您想找什么样的布料？"

　　小姐说：

　　"我想做一件绸缎衣服，可以在走路的时候发出哧啦哧啦的声音，有这样的布料吗？"

　　女店员拿了一匹颜色很漂亮、手感很细腻的布料给小姐看，说：

　　"您看看这个怎么样，这是最好的丝绸，如果您喜欢的话，我们还可以按照您的意愿，提供免费的染色服务。"

　　"颜色没关系，只要可以发出声音，并容易被人听到就可以。"

　　店员马上拿出了另外一种布料。

　　"那还是这种更好一些，这种百合色的丝绸质地很好，白色纯洁又大方。"

　　店员用手揉搓着丝绸问：

　　"怎么样？能听到声音吗？"

　　顿时，小姐满面笑容，大声说道：

　　"当然，听得很清楚。"

　　小姐心满意足地付了钱，离开了布艺店。

　　小姐走后几分钟，女店员发现她把一副红色手套落在了结账柜台上。女店员马上拿着手套，匆忙跑出布艺店，很快，她看到了正在不远处等着过马路的小姐。

"你好，稍等一下，您把手套落在我们店里了。"

小姐这才发现自己丢了手套，对店员表示感谢。

这时候，店员终于忍不住，问道：

"虽然很失礼，但我很想问一个问题。"

"您想问什么？"

"为什么您要挑选能发出声音的布料呢？"

小姐微笑着回答道：

"这块布料是我结婚时要用来做礼服的，和我结婚的人眼睛看不见……所以，他要靠声音确认我在不在他的身边。"

女店员听着小姐说的话，觉得每一个字就像轻盈明快的银铃一般在耳畔响起。

如果你年轻的时候没有感受到爱，如果你没有用一颗爱的心去看周围的人、动物和花朵，当你老去的时候，你就会感到人生的空虚，非常孤独。恐惧的影子时刻都会跟随着你。

但是，如果你心中有爱，领悟到了爱的深意和欢喜，你就会发现这个世界因为你而发生了改变。

——克里希那穆提

(Jiddu Krishnamurti，1895—1986，印度著名哲学家)

爸爸和儿子

　　小哲的爸爸是区里的环境美化员，妈妈则每天吃力地骑着三轮车，捡废品。

　　这一天，夫妻俩结束了一天的辛苦工作回到家里，看到独生儿子小哲时，吓了一跳。小哲穿着一条高级的名牌牛仔裤，而他们从来没有给儿子买过这种衣服。

　　"你这裤子是哪儿来的，快说！"

　　"对不起，其实……"

　　在父母的逼问下，小哲终于说出了实话。

　　听了儿子的话，爸爸不禁跌坐在了地上，儿子竟然在公共汽车站偷了别人的钱包。

　　"我的儿子竟然成了小偷……"

　　过了一会儿，爸爸让自己冷静下来，对儿子说道：

　　"爸爸没能力，赚的钱不多，不能为你做什么，但你不能因为家庭环境不好，就走邪路啊！"

　　爸爸流下了眼泪，拉着儿子的手去了警察局。在大多数父母包庇孩子还来不及的社会中，警察面对这位父亲感到非常惊讶，开始了调查。

　　在调查过程中，小哲的罪状又多了一条，并最终站到了法庭上。在这段时间里，爸爸因为儿子误入歧途感到十分心痛，心脏病突发离开了这个世界。

审判那一天，在法庭上，妈妈哽咽着说：

"希望法官按照我丈夫的意愿，给我的孩子应有的处罚，让他成为一个正直的人。"

儿子也流下了悔恨的泪水。

"爸爸是因为我去世的，呜呜……"

所有在场的人看着母子二人都非常感动，眼睛也湿润了。

最终，法庭作出了判决。

"本法庭决定对本案件不予起诉。"

"……"

听到了不予起诉的判罚，大家都觉得非常意外，法官又说了一句：

"我们相信如此优秀的父母能够教育出一个优秀的儿子。"

法庭内马上响起了雷鸣般的掌声。

　　　　如果你有了孩子，就要从他蹒跚学步一直教育到成为一个善良正直的人，如果小的时候不教育，长大以后再想校正就很难了。教育越早开始越好，应该教育孩子成为一个善良的人，一个正直的人。

——李珥

(1536—1584，朝鲜李朝中后期著名哲学家)

要成为当孩子做好事的时候，不吝惜自己的赞美；
当孩子做错的时候，及时提醒他的父母。

妈妈的盒饭

结束了一天的功课，燕姬走在回家的路上，但心情却像书包里的盒饭一样沉重。今天她又没有把妈妈做好的盒饭吃完，显然，将会受到妈妈的训斥。

"你知道妈妈为了准备盒饭下了多大工夫吗？我上学的时候可从来没吃过这么丰盛的盒饭。"

想起妈妈的唠叨，燕姬摇了摇头。她真想找个没人的地方把剩饭都倒入垃圾桶里。可是又觉得这样像是在犯罪，没有了勇气。她想，如果中午美爱没有拿比萨诱惑自己，说不定……但是想一想，这也只是借口。

她真希望妈妈不在家，那自己只要把碗筷都洗干净就可以了。其实，几天前开始外婆就因为身体就不适住院了，所以妈妈经常不在家。

但是燕姬的愿望没有成为现实，一进门她就看到了低着头坐在沙发上的妈妈的背影。

"妈妈，我回来了！"

妈妈点头回答道：

"哦，你回来了，累了吧，先去换衣服吧！"

燕姬从书包里拿出饭盒悄悄放在了厨房餐桌的夹层里。

妈妈说：

"看来今天的盒饭又没吃完？"

"妈妈怎么知道？"

"你如果把盒饭都吃完了，就会把饭盒放在餐桌上，没吃完就会放在夹层里，已经成习惯了。"

"妈妈，我不是故意……今天中午美爱请我们吃了比萨，因为是她的生日……"

"哦，我知道了，这也难免。"

妈妈的宽容让燕姬感到很意外，一直压在心头的大石头，终于可以放下了。

燕姬把书包放回自己的房间，换了衣服走出来。她发现桌子上放着一个四四方方的碗，看起来用了很长时间，四周都已经被磨得不成样子了。

"妈妈，这是什么？"

"噢……那也是饭盒。"

燕姬一脸不敢相信的表情。

"还有这样的饭盒？"

"是啊，妈妈上学的时候，就用这样的饭盒。"

"可是怎么突然出现了？我以前没见过。"

"我从阁楼上找到的。"

"原来是谁用的？"

"我上学的时候用的，和你爸爸结婚后带过来的。"

"妈妈，这样的东西您当嫁妆带过来？"

燕姬无心说出的一句话，却让妈妈的脸上瞬间阴云密布。

燕姬见势不好，赶快进洗手间洗脸去了。

过了一会儿，燕姬回到客厅的时候，妈妈正在往刚才那个破旧的饭盒里装着新鲜的草莓。

妈妈说：

"今天，你也跟我一起去医院吧，医生说，外婆的日子可能不多了。"

"……知道了，妈妈！"

燕姬就这样跟着妈妈出门了。

在车上，妈妈摸着用手绢包好的饭盒，对燕姬说：

"我给你讲个故事吧？"

"什么故事？"

妈妈转过头望着车窗外，陷入了回忆中。

"算一算，已经是三十多年前的事情了……"

一对母女搬到了小河附近的村子，这里距离妈妈工作的砖厂很近。

虽然是快要倒塌的板房，但是女孩觉得比以前住的山村好。春天，可以到大坝上找三叶草，夏天可以和朋友们一起采漂亮的月见草。

每天清晨，妈妈要去上班。早上在家匆匆吃了几口饭，就要在砖厂干一整天搬运砖头的工作。太阳落山后，漆黑的晚上，妈妈会买上一些炭，或者一口袋大米。

那一年的雨季要比往年来得早，但是比雨季更让人担心的事情发生了，砖厂的老板被追债的人吓得半夜逃跑了。

妈妈很快就找到了新工作，但是之前的工资一直没拿到，所以母女俩吃饭都成了问题。但她认为女儿上学决不能耽误，因此学费从没拖欠过。

这天，妈妈和往常一样，凌晨就起床开始做饭，然后准备了两份盒饭。女儿那天正好值日，所以先拿了一份盒饭离开了家。

第三节课结束后，班里的同学们都拿出自己的盒饭。原本是第四节课结束后吃午饭，但那时候同学们都喜欢在第三节课结束后就打开饭盒看看。女孩也打开了自己的饭盒。

"……"

一瞬间打开饭盒的女孩马上又盖上了盖子，然后把饭盒放到了桌子里。她起身跑到水房，任眼泪模糊了双眼。

第四节课是体育课，女孩假装身体不舒服，一直坐在操场边的草地上。连续几天阴雨连绵后好不容易看到了一片蓝天，可女孩却觉得很难过。

这时候，女孩看到了慌慌张张从校门外跑进来的妈妈。妈妈的手里拿着饭盒，那个和女儿的一模一样的饭盒。

　　燕姬看着妈妈，问道：

　　"饭盒里装着什么？"

　　但是妈妈躲开了女儿的视线，没有回答。

　　"妈妈，那饭盒里到底装着什么？"

　　"……"

　　"妈妈，快告诉我！"

　　妈妈依然望着窗外，说道：

　　"白色……白色的抹布。"

　　"什么？抹布？"

　　"是啊，妈妈的饭盒里装着白色的抹布。妈妈……每天都要把水泥、砖头顶在头上……她给女儿的饭盒里装的是饭菜，可是自己的饭盒里却装着白色的抹布。她用抹布蘸了水，填饱肚子……"

　　"妈妈……"

　　燕姬伏在妈妈的背上哭了，一直到医院，她们一句话都没说。

　　走进病房的时候，穿着病号服、瘦骨嶙峋的外婆看着燕姬和她的妈妈，微笑着。

　　妈妈把包在手绢里的碗，拿给外婆，说道：

　　"妈妈，您还记得这个饭盒吗？"

　　外婆安静地点了点头。

　　"妈妈，我给您带了您爱吃的草莓。"

妈妈的泪水中含有科学无法分析的、很深很珍贵的感情。

——法拉第

(Michael Faraday，1791-1867，19世纪伟大的英国物理学家、化学家)

老人和女人

　　位于西印度群岛波多黎各共和国的国立美术馆里挂着一幅名叫《老人和女人》的画，画的是一个穿着寿衣的老人吸着年轻女人的乳汁。

　　这部作品出自鲁本斯[①]之手。很多前来参观的游客们都会对老人和年轻女人不自然的爱情行为感到不愉快。怎么能把如此露骨，如此廉价的画挂在国立美术馆呢？而且还是在美术馆的入口处。但是每一个得知这幅画中故事的游客都会眼睛湿润，并从新的视角去欣赏它。

　　通常，人们都会强烈谴责和年轻姑娘恋爱的老人，认为他们不道德。穿着寿衣的老人和失去理性的年轻女性被认为是最不道德的人。人们十分困惑，画家究竟是出于什么意图将这样一段乱伦之恋呈现在画布上呢？这幅画真的只不过是淫秽品吗？

　　其实，关于这部作品，有我们必须知道的故事。

　　原来，穿着寿衣的老人是年轻女人的父亲，将自己的乳房袒露在外的女人正是老人的女儿。

　　老人是为了波多黎各的自由和独立而战的斗士。独裁政权将他逮捕，关进了监狱里，并用最残忍的酷刑惩罚他，那就是"不准进食"。

　　老人在监狱里忍受不了饥饿，即将死去，刚刚分娩不久的女儿拖着沉重的身体到监狱里去看望父亲，她想见父亲最后一面。

---

① 彼得·保罗·鲁本斯 (Peter Paul Rubens)，1577年—1640年，佛兰德斯画家，巴洛克画派早期的代表人物。

看到只剩一把骨头的父亲，女儿的眼里噙满了泪水。在只剩一口气的父亲面前没有什么可顾忌的了，女人毫不犹豫地解开了衣衫，让爸爸吸允自己的乳汁。

都说观察的角度不同，会得出大相径庭的结论。不知道这幅画缘由的游客们可能误会他们是乱伦之恋，但是在波多黎各人眼中这幅画却代表了至纯至善的父女之爱，毫无顾忌的奉献和爱国之心。因此，他们自豪地认为这幅画是承载着他们民族灵魂最高水平的艺术品。

另一方面，也有人认为这幅画跟波多黎各独立英雄没有什么关系。

这幅画只是阐释了古罗马文学和艺术中常见的"为人之子的道理"，于韩国来说，可以说是《沈清传》①的西洋版。

等待着死亡的老者知道行刑的那一瞬间什么都不能吃，女儿不忍看到这种情景便偷偷来到监狱，让父亲喝自己的乳汁。这代表了子女对父母无条件的奉献和爱，这样的素材在 16 世纪到 18 世纪是非常盛行的。

不同的想法会造成天堂和地狱的差别，天堂和地狱不在天上和地下，而是在我们的人生当中。

——马洛里

(George Leigh Mallory，1866-1924，英国著名登山探险家)

---

① 韩国家喻户晓的古典小说，讲孝女沈清帮助父亲重见光明的故事。

基本的照顾

卢琪尔进入护士学校两个月后的某一天，发生了这样一件事情。

来上课的老师没有讲课，而是给每个人发了张问题很简单的试卷。之前老师对这次考试没有做任何预告，但是卢琪尔平时就很认真地听讲，所以没遇到什么难题，但最后一道题把她难住了。

"把我们学校的洗手间打扫得很干净的阿姨叫什么名字？"

"……？"

这也可以当做考试题目吗?!

卢琪尔每天都会遇到那位阿姨好几次，可这位一头卷发、身强力壮的50多岁的阿姨叫什么名字呢？她怎么也想不起来。

没办法，卢琪尔只好没有回答最后一道问题，把试卷交了上去。

大家交完试卷后，一个学生问老师，最后一道问题算不算分数。

"当然算。"

老师回答道。

"大家今后都会成为护士，每天会和很多人相处。每一个人都是非常重要的，每一个人都有得到特别的注意和照顾的权利。在任何情况下，大家都要用微笑面对这些人，先跟他们打招呼。"

现在卢琪尔已经成了首席护士，但她一直没有忘记那位老师说的话，也没有忘记负责洗手间清洁工作的那位阿姨的名字叫杜鲁丝……

对所有的人都有礼貌，对大多数人都体贴，和几个人关系亲密，和一个人成为好朋友，和任何人都不要成为敌人。

——B·富兰克林

(B Franklin，1706-1790，美国科学家、政治家、外交家)

爸爸的笔记本

一位年轻人的父亲生前每天都在笔记本上记着什么。

父亲在别的事情上没有任何秘密，但奇怪的是，那个笔记本却绝不准任何人看。父亲去世的那一天，年轻人才有机会翻开他的笔记本。

那个笔记本上写着的是家人的名字，朋友们的名字，还有陌生人的名字。对笔记本里的内容充满期待的年轻人看到了这些后，多少有些失望。

"你在看爸爸的笔记本啊！"

不知什么时候，妈妈走过来，用亲切的声音说。

"妈妈知道这个笔记本吗？"

妈妈从儿子手上接过笔记本，一张一张地翻看着，陷入了回忆之中。

"这是你爸爸的祈祷笔记本，你爸爸每天晚上叫着每一个人的名字，安静地祈祷，感谢这些人们。"

"啊！"

年轻人点点头，又问起那些陌生人。

"这些人是谁？"

"是让你爸爸的心灵受伤害的人们。"

"……"

"你爸爸每天向上帝祈祷，希望上帝能够饶恕他们……"

如果有人对不起你，不管他是谁，都忘掉他、饶恕他吧。这样你会体会到饶恕的幸福，我们没有责备别人的权利。

——托尔斯泰

(Leo Tolstoy，1828–1910，19 世纪俄国文学家、思想家)

四、充满智慧的
人生香气

百万美元的新娘

傍晚，一位隐居的老绅士享受着散步的乐趣。走到可以欣赏晚霞的江边时，他遇到了自己认识的一位年轻人丹尔。前不久，老绅士刚刚听说年轻人要结婚了，于是问道：

"听说你的结婚日期已经确定了，祝贺你！"

年轻人非常有礼貌地回答道：

"谢谢您！"

"和你结婚的人是什么样的人？"

"是一个非常好的女人，比仙女还要漂亮。"

老绅士从自己的口袋里拿出一个笔记本，在上面画了一个圆圈，然后抬头看着丹尔问道：

"那太好了，她是一个怎样的人？"

丹尔毫不犹豫地回答：

"她比任何人都聪明、亲切。"

老绅士又在笔记本上画了一个圆圈。

"她虽然现在在家里，但到了秋天一定会找到一份好工作的。"

每次丹尔兴奋地称赞自己的女朋友时，老绅士都在笔记本上画一个圆圈，就这样，笔记本上一共画了六个圆圈。

丹尔又说：

"不光是这些，我的女朋友非常善良，对那些需要帮助的人，她会竭尽全力地去帮助。"

丹尔十分满意地介绍着自己的女朋友，老绅士在笔记本上那些圆圈前面加了一个1，然后把笔记本重新放进了口袋里。他紧紧握住丹尔的手，真心祝贺他说：

"丹尔，真的要祝贺你，你的新娘是价值一百万元的。这样的女人值得你用一生去陪伴！"

口才不是简单的语言游戏或心理战术，而是为了和对方的关系更加协调而表现自己的技术和表演。

——洪徐余
（韩国作家）

缸和石头

有一天，经济学专业的学生们正在听一位时间管理专家的讲座。

专家为了把自己的观点表达得更加明确，举了具体的例子解释。

"来，我们来举一个例子。"

他从桌子下面拿出了提前准备好的一个小缸，放到了桌上，然后把拳头大小的石头一个个放进了缸里。

不久，缸里已经装满了石头，专家问：

"怎么样？现在这个缸已经被装满了吗？"

"是！"

学生们异口同声地回答。

教授马上反问：

"真的？"

然后从桌下拿出了一把小石子放进了缸里，使劲儿摇晃了一会儿。

那些拳头大小的石头中间塞满了小石子，他又问学生：

"现在满了吗？"

学生们眼睛瞪得圆圆的，一副不太确定的表情，但还是回答："满了。"
于是专家又从桌子下面拿出了沙袋。

把沙子放进了缸里，这样拳头大小的石头和小石子中间又被沙子填满了。

"现在这个缸装满了吗？"

学生们齐声回答："没有！"专家说："没错！"说完，从桌下拿出了水壶，把水倒进了缸里。然后用真诚的眼神看着学生们。

"刚才我做的这个实验意味着什么呢？"

一个学生举手回答：

"我是这样想的：就算你忙得日程被安排得满满的，但只要你努力，还是可以挤出很多时间做其他事情。"

"不是。"

时间管理专家马上否定了那个学生的说法，并解释说：

"重要的不是这一点，这个实验告诉我们：如果你没有先把大石头放进去，就永远都放不进大石头了。"

听了专家的话，学生们深有同感，纷纷默默点头。

　　我的人生中最重要的大石头是什么呢？爱情？友情？健康？工作？服务？名誉？钱……每个人都有自己的选择，重要的是不管自己的选择是什么，都应该把它最先放进缸里。

倒塌的建筑物

有个人因为一点小误会已经很久没和朋友联系了。

他的自尊心很强，不肯主动和解。朋友是多年的死党，他觉得即使一段时间不联系也不会有什么问题。

一天，他去找另一个朋友，自然而然地谈起了各自朋友的故事。

这个朋友指着窗外的山坡说了起来。

"那个红色屋顶的房子旁边曾经有一个挺大的房子，看起来很牢固，可是主人离开一段时间后，没有人照顾了，雨水就流进了屋檐，大梁也被水浸湿了。第二年刮台风的时候房子已经开始有点摇晃了。有一天，随着咯吱咯吱的声音，房子倒塌了。曾经那么牢固的房子变成了一片废墟。后来我去看的时候发现很多木头还可以用呢，但是木头之间的连接处却因为渗进了水而腐烂了，最后就……"

两个人都望着那片山坡，山坡上长满了茂盛的杂草，根本看不出这里曾经有一栋房子。

朋友继续说道：

"和房子一样，人和人之间的关系也要时常照顾，看看有没有进水，是不是需要维修。不经常联络，省掉感谢的话，没有消除误会……这些事情都会像流入房屋的雨水一样，使人与人之间的关系越来越生疏……"

这个人听了朋友讲述的故事，深深地领悟到了一个道理。

告别后，他回味着朋友的忠告，走向了那个长时间没有联系的朋友家。

他的耳畔一直萦绕着朋友说的最后一句话：

"那房子真的是一栋很不错的房子，如果稍做努力，现在还可以看到它矗立在那片山坡上……"

不珍惜朋友之间的友情，就像不给美丽的花朵浇水，任花朵凋谢一样。每天浇水施肥，培养真诚的友情才是聪明人的做法。

——塞缪尔·约翰逊

(Samuel Johnson, 1709-1784, 英国 18 世纪著名诗人、散文家、批评家和词典编撰家)

成功的东山再起

一位著名的指挥家出名后不久便和一位美丽的歌唱家结了婚。大家都很羡慕，认为他们是非常般配的一对，同时也有很多人相信结婚后歌唱家会因为丈夫的声誉而进入事业的全盛时期。

与人们的预想大相径庭的是，歌唱家不仅没有成功，还经历了很多挫折和失败。丈夫给了她很多忠告，也经常帮她练习发声，但还是没什么起色。最后，歌唱家决定放弃自己梦寐以求的"第一女主角"，心甘情愿地做一位平凡的家庭主妇。

几年后，丈夫意外得病离开了人世。又过了几年，她和一个商人结了婚。

一天，她心情不错，便一边准备早餐，一边哼歌，丈夫突然从卧室里跑了出来。

"刚才那首歌，是你唱的吗？"

"是啊，是不是打扰你的美梦了？"

"不，我实在不敢相信……"

丈夫不吝赞美之词。

"从我来到这个世界到今天，从来都没有听过这么美妙的歌声。"

"真的吗？"

丈夫平时一直忙于经营自己的企业，对音乐完全是一个门外汉。但她还是因丈夫的赞叹而感到非常兴奋。

丈夫说：

"老婆，你重新开始唱歌怎么样？"

"我已经有七年不唱了。"

"七年又怎么样，十七年又怎么样？试一试吧，我会帮你的。"

在丈夫的支持和鼓励下，她又重新开始唱歌了，没想到大获成功。所有的报纸都对她美妙的歌喉进行了大幅报道。最后她在卡内基音乐厅①举行了演唱会，所有的观众都起立为她鼓掌，盛况空前。

---

① 位于美国纽约市，是全世界最享有盛名的古典音乐厅之一，许多音乐巨匠都以能在卡内基音乐厅演出为荣举。

找到自己的优点并发扬它要比找出自己的缺点并纠正更重要。当你听到有人对你说"真棒，你是最好的"时，你会充满自信。

巨人和富翁

一个巨人自己搭了一个小帐篷，住在里面。

他经常光着脚，但步伐却非常矫健。不管是冬天还是夏天，他也从来不穿衣服，只是用兽皮遮挡一下身体。

巨人住的小帐篷在山上，山脚下住着一个拥有很多土地的富翁。富翁每年都因为找不到人给他干活儿而发愁。

有一天，富翁突发奇想。

"如果能让小帐篷里的巨人为我干活儿……"

为了能让巨人成为自己的仆人，富翁绞尽了脑汁。突然，他想到了一个好主意。

"对！就这么办！"

富翁让妻子用足够给普通人做两套衣服的布料和棉花做了一套厚厚的棉袄棉裤。衣服做好后，富翁悄悄放在了小帐篷门口。

寒意渐浓的初冬，巨人在山上散步回到帐篷，看到包裹，迟疑了一下。

"咦，这是什么？"

出于好奇心，巨人打开了包裹，发现里面的衣服。但是对于巨人来说，这并不是什么重要的东西。于是他把棉袄棉裤扔到角落里，接下来的几天里，一直盯着它看。

有一天，"要不要穿一穿……试试？"

充满好奇心的巨人以十分缓慢的动作开始穿衣服了。费了好大的劲儿，才终于穿好了，身上也暖和多了。那天晚上，巨人第一次穿着衣服睡着了。巨人觉得很有趣，于是连着几天都穿着衣服，最后都不愿意脱掉了。

可是冬天过去，春天来了，衣服成了累赘。巨人把衣服都脱掉，又不穿衣服了。

但奇怪的是，从此以后巨人在山上追野兽就会搞得浑身是伤，有时候还会被刺刮到，被树木蹭着。不知不觉，又是冬天了，巨人冻得受不了了。他想穿去年的棉裤，可是怎么都找不到。

"这可麻烦了！"

一想到漫长的冬天都不能穿衣服，巨人觉得很恐怖。

但是没办法，瑟瑟发抖了几天之后，巨人只好到山脚下的村庄去找富翁。富翁为了掩饰嘴角的笑容，一直摸着自己的胡子。巨人对富翁说：

"能不能借我一套衣服穿？"

富翁回答道：

"哦，你要衣服干什么？天寒地冻的时候你不都是这样度过的吗？"

"以前是这样的，但是去年我穿着衣服玩……"

"这些我都不管，你打算花多少钱买衣服呢？该不会是想白拿走吧？"

"这个……我……"

富翁说：

"春天的时候能不能帮我干些农活？我愿意送给你一套温暖的棉衣。"

"当然可以。"

巨人给富翁磕了几个响头，然后拿着棉衣回到了小帐篷。就这样，巨人穿着棉衣度过了那个冬天。

第二年春天，巨人用绳子把棉衣绑好，挂到了帐篷里，然后就去找富翁。

"托您的棉衣的福，这个冬天我过得很好，现在我要报答您。"

"好，那你能帮我耕地播种吗？"

"好的，您尽管吩咐。"

不管是什么事情，巨人都干得又快又好。在同样的时间内，他耕地的速度是普通人的五倍，砍的柴是普通人的十倍。富翁只要吩咐就可以了。那年富翁家过得非常顺利，庄稼也是大丰收。

秋天收割结束后，巨人对富翁说：

"现在，我已经把那套棉衣的钱都还完了。"

"再见。"

富翁看着转身离去的巨人宽阔的后背，嘴角泛起了微笑。

寒风凛冽，巨人看着春天收好的棉衣，心里非常满足。他想，以后每年冬天都可以穿这套棉衣度过，再也不用去求富翁了。但是，当巨人把棉衣拿下来的时候，脸色立刻变了。原来是雨水渗进了棉衣，棉花都已经烂了，根本不能穿。

"这下可完了！"

巨人烦恼了好几天，终于还是去找了富翁。

"你怎么又来了？"

"我还是要麻烦您！"

富翁摸着胡子，掩饰着嘴角的笑容。

就这样，巨人为了一套棉衣，每年都要给富翁干活。随着时间的流逝，巨人越来越怕冷，夏天也必须要穿衣服了。巨人干的活一年比一年多，但富翁却从来没有给过巨人任何回报。于是巨人的债务越来越多，富翁在巨人面前装出一副很正直的样子，背地里却狡猾地笑着。巨人只知道干活，却从来都没有看到过富翁狡猾的笑容。

子曰：生而知之者，上也。学而知之者，次也。困而学之，又其次也。

——孔子《论语·季氏》

一无所有

有一个国王虽然已经登上了王位，却仍然感觉不到幸福。

有一天，他把大臣们叫到面前，命令他们找来这个国家里最幸福的人。如果找到那个人，就用一千两黄金买下那个人的内衣。国王想，只要穿上了那个人的内衣，就会变得很幸福。

命令下达后，大臣们找遍了整个国家的每个角落。候选人非常多，有权利的人，钱多得一辈子用不完的人，清贫却满腹学识的人……但是要找到真正最幸福的人，并不容易……

有一天，一位大臣走在一段乡间小路上，一个年轻人兴高采烈地哼着歌迎面走来。年轻人的脸上充满了幸福。

大臣拉住他问道：

"你看起来很幸福啊！"

年轻人充满自信，非常爽快地回答道：

"当然，我每一天都觉得非常幸福。"

于是，大臣把自己的目的告诉了年轻人。

"那能不能把你的内衣卖给我？"

年轻人把又脏又乱的大衣敞开给大臣看，并说道：

"您都看到了吧，我没有内衣。"

"……"

"我不仅没有内衣，皮鞋也没有，不久前我还对此很不满。但是刚才，我看到了一个连脚都没有的人，所以我想没有皮鞋总比没有脚好，于是我就很高兴，十分感谢上帝，也觉得很幸福了。"

懂得满足的人就算躺在地上也觉得很快乐，可有些人到了天堂还是满腹牢骚。不懂得知足的人就算成了大富翁还是觉得贫穷，可有些人却贫穷而富有。

牧童和大卫

以色列的沙乌尔王时代，一个男人得了重病，留下美丽的夫人离开了人世。很久以前就对这位夫人倾慕不已的领主要把她纳为小妾。但夫人早早看出了领主的意图，决定偷偷逃走。

夫人把丈夫留给自己的财产分别装在几个罐子里，又在上面装满了蜂蜜。之后，请来了证人，当着证人的面把几个罐子都托付给了丈夫的朋友，远走他乡。

几个月后，丈夫朋友的儿子要结婚，需要蜂蜜。他突然想起来夫人托自己保管的蜂蜜，于是到地下室打开了蜂蜜罐的盖子。

罐子里装满了蜂蜜，盛了一点之后，下面露出的却是金银珠宝。他又打开了另一个罐子，也是一样。于是他把所有的财宝都拿了出来，又往罐子里装满了蜂蜜。

几年后，夫人听到领主已经死去的消息，重新回到了故乡，她要找回自己的罐子。可是丈夫的朋友却对她说：

"我还是在原来那个证人面前还给你吧！"

夫人马上带来了证人，丈夫的朋友就在证人面前把罐子还给了夫人。

回到家后，夫人打开盖子，却没有找到丈夫留给自己的财宝。

夫人非常委屈，马上到法庭告发了丈夫的朋友。法官问：

"有没有人能够证明罐子里有财宝呢？"

女人回答道：

"除了我没有人知道。"

"那我们也没办法，如果你觉得冤枉，可以上告到高一级的法庭。"

夫人马上去找了高一级的法庭，但是法官仍然告诉夫人，如果没有人能够证明罐子里本来就有财宝，他们也没有办法。

夫人只好心灰意冷地回家了。在路上，他偶然遇到了大卫。当时大卫还不是国王，只是一个牧童，但他的智慧已经远近闻名了。

听到夫人的经历后，大卫说道：

"那就去找沙乌尔王，问他可不可以由大卫审判。如果国王许可，我愿意为你们分辨是非。"

于是夫人找到了沙乌尔王，诉说了自己的经历。国王同意了。

大卫把被告叫到了法庭，并让夫人把罐子也带到法庭上。

然后，大卫先问夫人：

"就是这个罐子，没错吗？"

"是的。"

然后他问了被告同样的问题：

"这个罐子确实是当时夫人托你保管的罐子吗？"

"是的。"

大卫让仆人拿来空碗，把罐子里的蜂蜜全都倒入了一个个空碗。然后在众人面前，把罐子一个个砸破了。在一堆碎片中，发现了两枚金币。原来是蜂蜜使金币贴在罐子底下，没有被丈夫的朋友拿到。

大卫命令撒谎的男人：

"把你拿走的钱全部还给这位夫人。"

听了这天法庭上发生的一幕，以色列人又一次惊叹于大卫的智慧。

葡萄酒刚刚酿成的时候和葡萄的味道是很像的，但是时间越长，葡萄酒的味道越好。智慧也是如此，随着日积月累，智慧越来越多。

——《塔木德》

(Talmudh，犹太教经典)

核桃

听说很久很久以前，神仙和人类之间是有交往的。

有一天，种核桃的农夫找到神仙，说：

"您好，我是种核桃的农夫。"

"你找我有什么事情吗？"

"我不是出于其他的目的，而是想让您把一年的天气交给我支配。只要一年就可以，能让我按照自己的意愿控制天气变化，我将非常感激。"

神对于天气的支配权力是绝对的，但是农夫的态度非常诚恳，最终神仙答应了。

这之后的一年，农夫随心所欲地支配着天气。他想要温暖的阳光，太阳就照射着大地；想要浇灌大地，就会下起丝丝春雨。不再有狂风把尚未成熟的核桃吹落；也不再有电闪雷鸣影响核桃的生长。每一件事情都很顺利，农夫心情舒畅，每天都在树荫下睡午觉，过得非常自在。

不久，收获的季节到了。就像期待的那样，核桃大丰收。农夫兴奋异常，他看着堆积成山的核桃，从中挑选了一个敲开了。可是，这是为什么？里面竟然是空的！

"……"

他又敲开了另一个核桃，依然如此。面前的这些核桃都是空心的，农夫跌坐在地上。

第二天，农夫又找到了神仙，他把空核桃皮扔到神仙面前，抗议道：

"这到底是怎么回事儿？为什么都是空壳？"

神仙微笑着说道：

"当然！"

"……"

"没有努力，没有挑战，怎么会有收获？只有暴风雨、干旱以及洪水这样的困难才能让空壳中的灵魂苏醒。"

　　一朵花的绽放也是需要长时间的努力的。都说上天会帮助自助的人，从现在开始做一些简单的努力吧，一旦尝到了成功的滋味，以后不管遇到多大的困难，都会有冲破一切障碍的勇气。

狮子的教育

　　森林中的狮子王有了一只小狮子，而且是只小雄狮。

　　野兽的特点和我们人类有很大的不同。对于人类来说，就算是王者的后代，刚刚出生的小孩也是非常柔弱的。但狮子却不同，刚刚出生的小狮子已经是一个成熟的个体了。所以，当小王子一岁的时候，狮子王就下定了决心。

　　"我不能让孩子无知愚昧，更不能因为这个孩子而让我的名誉受损，所以一定要好好教育他。可是该找谁来做他的老师呢？"

　　狮子王陷入了沉思中。经过深思熟虑，他决定把大家公认最贤明的大臣叫过来问一问。

　　"我想找个老师教小王子帝王之道，你觉得谁可以胜任呢？交给狐狸怎么样？"

　　大臣回答道：

　　"狐狸很聪明，有他的优点，但是狐狸爱说谎。"

　　狮子王摇了摇头说：

　　"那可不行，你觉得田鼠怎么样？"

　　大臣回答道：

　　"听说，田鼠凡事都很慎重，轻易不愿意动弹。他吃粮食非常节省，一颗都不浪费。只是田鼠的眼睛只能看到眼前的东西，稍远一点的几乎就看不见。"

狮子王点了点头。

田鼠是非常模范的大臣，但是森林王国却要比田鼠的洞穴更加宽阔。

"那……金钱豹怎么样？"

"金钱豹勇敢而又强悍，是一个非常出色的战术家。但是他不懂政治。"

作为森林之王必须统管政治、法律、军事，金钱豹杀气腾腾，捕捉猎物的技术非常纯熟，但是却不能成为小王子的老师。

狮子王和大臣讨论了很长时间，但一直没有找到合适的人选。讨论到最后，连森林中备受尊敬的大象的才智和学识都受到了怀疑。

不知是幸运还是不幸，狮子王的烦恼传到了鸟类之王老鹰的耳朵里。老鹰和狮子王是老朋友了，有一天，他找到狮子王，表示愿意成为王子的老师。

狮子王毫不犹豫答应了老鹰，并长长地舒了一口气。他觉得，老鹰也是王者，当王子的老师没问题，而且要找一个比老鹰更好的老师确实很难。于是，王子就被送到了老鹰那里。

转眼两年过去了。这两年中，不论任何人谈到小王子都是赞不绝口，所有鸟类把小王子日渐成长的消息传播到了森林里的每一个角落。

狮子王和老鹰约定的时间到了，狮子王见到了自己的孩子。王子已经成长为一头成年狮子了，狮子王把森林中所有的野兽都叫到了面前。

"我亲爱的儿子，你是我唯一的继承人。我非常高兴你能够接替我管理这个国家。现在，你告诉大家，这几年你都学到了什么，懂得了什么，今后可以为森林中的百姓做什么？"

王子回答道：

"爸爸，我学到了在座的各位都不知道的东西。比如说从老鹰到野鸡所有鸟类适合在什么样的环境生存，喜欢吃什么食物，生什么样的蛋。我还可以给大家演示，鸟类筑巢的时候如何利用较高的树枝和较矮的树枝。我可以教大家怎样筑巢……我做的这一切都是要向大家证明，那些对我的评价并不是徒有虚名。"

　　听了王子的话，所有野兽都陷入了沉思。年迈的狮子王这才意识到，自己的孩子学到了毫无用处的东西，而且还在这里说些废话……

　　辅佐愚蠢的人和在荒野中大声痛哭，为死人按摩，在干旱地里种荷花，跟聋子说悄悄话没有任何区别。

——《五卷书》
(印度动物寓言集)

蛇和中伤谋士

恶魔们经常挂在嘴边的一句话就是 "恶魔不懂得公平"。但实际上，他们也有自己的原则，下面的故事就是一个例证。

地狱正在进行着一个祭奠仪式。

号声响起，祭奠队伍中的蛇和中伤谋士都想站到前排，并为此吵了起来。两个人互不相让，不管谁站到前排，就是为自己的朋友和家人带来更多灾难的那个人。因此，在这场激烈而又荒唐的争吵中，中伤谋士在蛇面前伸出了自己的舌头。

另一方面，蛇则向受伤的谋士炫耀自己带毒的牙齿。他似乎无论如何都不能容忍谋士胜过自己，于是使出吃奶的劲儿朝前挤着。终于，蛇冲到了中伤谋士前面。

但是恶魔之王没有静观其变，他命令手下马上把蛇拉到后面去。

"我充分肯定你的业绩，但是第一的位置还是要留给中伤谋士。"

"这到底是为什么？"

"蛇，你确实很凶恶。你带毒的牙齿可以剥夺任何一个人的生命，我承认你很伟大。但是中伤谋士可以用舌头在不接触任何人的情况下，造谣中伤别人，使别人受到伤害。这条残暴的舌头让人避之不及，所以你应该排在中伤谋士后面。"

从此以后，在地狱里中伤谋士总是比蛇更受尊敬。

　　每个人都有梦想，有些人的梦想就像一种病一样深深植根于大脑中，从来不曾离开。其实成功并不是一件难事，那些梦想成功的人总是嫉妒别人的成功，并会不自觉地造谣中伤别人。这样的人绝对不可能成功，就算会有一时的成功，也会在不久后丢掉。

——D·卡耐基

(Carneige，1888—1955，美国著名心理学家)

简单的方法

　　M 饭店的副总经理达吾接到顾客的投诉。顾客反映自己是这家饭店的常客，但每次来饭店的时候仍被当做是第一次来，这就很难让他们有宾至如归的感觉。

　　达吾马上找到了管理部门，要求负责人为曾经来过饭店的顾客单独建立一套电脑程序。但是负责人面露难色地说：

　　"如果要建立这样一套系统，至少需要 500 万美元的经费和 3 年以上的时间。"

　　"……"

　　听到这样的答复，达吾也无可奈何，一时语塞了。

　　几周后，达吾到加利福尼亚出差，住在当地的 G 饭店。进入饭店大厅后，门卫比尔热情地迎接了他。达吾几年前就见过这个职员，比尔接过行李后，前台的女职员同样十分热情。

　　女职员面带亲切的微笑，对达吾说道：

　　"你好，达吾先生，欢迎您再次光临 G 饭店。"

　　"……"

　　达吾问女职员，为什么知道自己以前曾经来过这家饭店。

　　女职员解释道：

　　客人进入饭店后，比尔会迎接客人，如果是比尔第一次见的客人，比尔就会问客人："您好，贵姓？您来过我们饭店吗？" 如果客人回答曾经来过，比尔把客人介绍给前台的小姐时，就会摸一下自己的脸，意思就是："这位客人曾经来过！"

然后，女职员叫来了服务员。

"这位是达吾先生，今天晚上要住在我们饭店的克里斯托房间。"

女职员一边说，一边轻轻摸了摸自己的脸颊。服务员马上就看出了女职员的意图，说道：

"您好，达吾先生，很高兴再次为您服务，我感到非常荣幸！"

G饭店职员们之间默契的配合让达吾很受感动，他们没有花费几百万美元建立计算机系统，只是靠一个摸脸颊的简单方法就让老顾客有了宾至如归的感觉。

没有绝对的方法，在不同时间不同地点，方法也会不同，但是人们对自己的方法都很执著，很难摆脱这种方法的限制。一切问题，从来都没有固定的解决方法，人生中的一切都是进行时，都可以去努力改变。只要懂得了这些道理，你就能找到解决事情的办法。

——圣·埃克苏佩里

(Saint Exupéry，1900-1944，法国作家，《小王子》的作者)

友情

有一种红色的怪物。

一提到怪物，人们就会想到他们干很多坏事，很令人讨厌。但是红色怪物是一种非常善良的怪物。

红色怪物对人类讨厌怪物很不满，他希望能和人类生活在一起。但是人类连普通的怪物都不喜欢，更没有理由喜欢红色怪物了。

无奈之下，红色怪物在自己家门上写了这样的字条：

"大家休息一会儿再走吧，我可以为您端上热茶和饮料。"

有一天，一个砍柴工深夜在山中迷了路，来到了红色怪物的家。砍柴工非常恐惧，他怕红色怪物会伤害自己，但是却得到了非常友好的接待，于是很感动。

在红色怪物家留宿一夜的砍柴工丢掉了偏见，还把自己的故事讲给朋友听，但是朋友们都不肯相信。红色怪物看到那些一见到自己就躲得远远的人们，心里非常难受。

有一天，红色怪物的朋友蓝色怪物到他家里玩，听了红色怪物的倾诉后，决定帮助他，于是想出了一条妙计。

他们说好蓝色怪物先到村子里捣乱，把整个村子弄得一团糟。他把能砸的东西都砸碎了，把每一个角落都弄得脏兮兮的……然后，由红色怪物阻拦他。这样，人们就会认为红色怪物是好人。

但是红色怪物无法阻拦蓝色怪物，只是假装打了他几下。

蓝色怪物生气地说道：

"你这样假装打我，不会有人以为你是好人的，快点打，真打！"

没办法，红色怪物拼命打着蓝色怪物，告诉他不要再给人类制造麻烦了。人们逐渐觉得红色怪物是非常善良的，慢慢开始喜欢他了。

但是红色怪物因为打了朋友感到非常内疚，也非常心痛。于是在门口贴了张字条：

"对不起，今天不能招待大家了。"

然后，到隔壁村找蓝色怪物，但是他只看到了一封信，却没有看到蓝色怪物。

信上这样写着：

"朋友，不要再来找我了，如果大家知道你和我是朋友，又会讨厌你的……"

好朋友就是看到对方的缺点及时提醒，看到对方成功真心高兴，烦恼的时候互相安慰，有利益的时候合理分配，让对方找到工作，并时刻想念对方的人。坏朋友就是抢夺对方的东西，说谎，爱面子，提出自私要求的人。

——佛经

三个朋友

一个人有三个朋友。

第一个是他最喜欢的，也是最信赖的朋友。

第二个他也喜欢，但没有第一个朋友那么珍贵。

第三个和他虽然也是朋友关系，但他并不太关心这个朋友。

有一天，他要出远门了。他先对自己最信赖的朋友说，希望能与自己同行，但是这个朋友并没有说什么特别的理由就拒绝了他。

他又拜托第二个朋友，第二个朋友说，我可以送你到城门口，但不能与你同行。

最后，他去找了第三个朋友。

那个朋友一脸灿烂的笑容，对他说：

"如果是和你同行，去哪儿我都愿意。困难的时候互相支持，这才是真正的朋友啊！"

在这个故事中，第一个朋友是财产，不管你多么珍惜他，爱护他，当你要面对死神的时候必须放下他。

第二个朋友是你爱的人，他可以跟你到墓地，但之后的漫长道路你必须一个人走过。

第三个朋友是善行，平时不那么起眼，但在你死之后，依然与你同行。

善不积，不足以成名；恶不积，不足以灭身。小人以小善为无益，而弗为也，故恶积 而不可掩，罪大而不可解。积善之家，必有余庆；积不善之家，必有余殃。

——孔子《周易》

五、
开启明天的
希望香气

一把炒好的土

　　这是发生在印度一个王国里的故事。

　　有一年，宫廷的园丁死了，国王要在全国范围内重新选拔一名新园丁。

　　这位国王亲自选定的新园丁手艺相当不错，一眼就能看出哪些花草已经得病，只要他一经手，凋谢的花朵就会重新获得生机。他不仅手艺非凡，而且非常勤劳，大家从没见过他休息，双手时常沾满泥巴。

　　有一天，国王到花园里散步。园丁正大汗淋漓地为一株有病的树木修剪枝干。

　　国王走近园丁，问道：

　　"怎么样？还能活过来吗？"

　　"会的，早上刚刚被甘露润湿过，现在太阳又这么好，很快就会活过来的。"

　　园丁非常礼貌地回答。但不知为什么，在国王听来，他的口气却不那么恭敬。国王还是第一次听到臣子这样对自己说话。

　　"这都是陛下洪福齐天，您幸临这里，这棵树很快就会活过来的。"

　　其他大臣一定会这样回答。国王有些不高兴，但还是忍住，离开了。

　　不久后的一天，国王和大臣们在宫殿里散步时遇到了园丁。

　　国王看了看周围，说道：

　　"蝴蝶好像比以前多了。"

　　园丁礼貌地回答道：

"是的，因为香气扑鼻的花朵比以前多了。"

"还多了一些以前从来没见过的鸟。"

"是的，因为树木比以前茂盛了。"

这时，国王的脸色已经一阵黑一阵红了。他突然提高声音，说：

"你是说这一切和我毫无关系吗？"

"您说什么？"

园丁这才抬起头，用惊异的目光看了看国王，跟在国王身后的大臣们看到国王生气了，也跟着火上浇油，训斥道：

"你这家伙竟敢在国王面前自以为是！"

"这个人不懂得国王的恩惠，不能留在王宫里了。"

勃然大怒的国王大声命令道：

"你这骄傲的家伙，来人！马上把他关到监狱里！"

士兵们马上跑过来把园丁紧紧捆了起来。

国王对被五花大绑的园丁说：

"你那么了不起吗？没有我，你能干什么？什么都做不了，如果你能让一朵花在监狱里开放，我马上放了你！"

园丁听了国王的话，非常冷静地说道：

"那么……请给我一把泥土吧！"

国王用挑衅的语气说道：

"好，给你一把炒好的泥土，哈哈哈！"

园丁被关进了监狱。看着园丁远去的背影，大臣们问国王：

"陛下，为什么要给他炒过的泥土呢？"

"当然了，炒过的泥土里任何种子都不会存活下来的。"

"原来是这样！"

"陛下英明！"

大臣们争先恐后说着国王爱听的话。

在狭窄的牢房高处有一扇小窗户。窗口像牢房的鼻孔一样，每天太阳都会透过它把巴掌大的阳光洒进牢房。每到阳光照进来时，园丁就把装着泥土的纸袋子放到窗台上。监狱里给犯人喝的水是很少的，但每隔一段时间，园丁还是会把省下来的水浇在泥土上，就这样一天、两天、一个月……一年的时间过去了。但是泥土还是泥土，没有任何变化。

两年过去了，三年过去了，春天来了。一天，园丁忽然发现泥土中有一个小点，仔细一看原来是刚刚发芽的种子。园丁的眼中流出了感激的泪水，泪水又滚落到了嫩芽上。

"不管人们怎样阻拦，都不可能阻挡高处刮来的风，更不可能阻挡上天赐予的阳光……"

园丁这样自言自语着，脸上露出了一丝微笑。

从那天开始，园丁每天悉心呵护着嫩芽。

两个月后，国王偶然路过监狱，无意间，看到了监狱中的花朵。他惊讶地停住了脚步，感叹道：

"那是什么花？"

一间牢房的窗台上开着一朵黄色的蒲公英，微风中，花瓣轻轻摇动着，就像闪烁的星星。

就在这一瞬间，国王的脑海中浮现出年少时的一段美好回忆。小时候，他曾看到一株扎根在石缝中的蒲公英，那时候老师曾经说过：

"这不只是一朵蒲公英，它是生命，比天下社稷更宝贵的生命。"

"是谁种下的种子呢？"

老师用充满感激的口气说道：

"是阳光，雨露，风……是自然。"

老师的话至今在国王的耳畔回响着，他这才意识到老师的话和园丁的话说的是同一个道理。

接着，他想起来三年前被自己关进监狱的园丁，羞愧地低下了头。

然后，国王命令士兵：

"快去把园丁放出来，马上！"

自然是中立的。人类在自然界中剥夺了把世界变成沙漠，使花朵在沙漠中绽放的力量。原子中没有恶，恶只存在于人类的灵魂中。

——A·斯蒂芬森

(Adlai Stevenson，1835—1914，美国第 23 任副总统)

最好的作品

我们陶土的梦想就是遇到最好的匠人，成为最好的作品，然后待在王宫的餐桌和富翁家的展示柜中。

幸好拿到我们的是一位最好的匠人，他的作品几乎全都被卖到了王宫和富翁家中。

有一天，匠人来到我面前，开始揉捏我。我非常兴奋，脑中浮现出自己成为世界上最优秀的作品时的样子。

但随着时间的流逝，我有了一种奇怪的感觉。因为我逐渐发现自己的样子变得和其他陶土完全不一样了。

匠人豁了一道长长的口子，加上了非常粗的手柄……耳边传来了其他陶土的嘲笑声。我很伤心，眼泪都快流出来了。我恨匠人，恨他把我捏成这么丑的样子。

当看到最后一道工序————烘烤的炉子时，我几乎绝望了。我实在不能理解匠人为什么把我捏成这个样子。

烤好后，匠人就抱着我急匆匆地跑了出去，来到了一个贫穷的农民家里。

不管要送给怎样贫穷的农民，也没有必要把我捏成这个样子啊？我越想越觉得匠人非常可恶，只希望自己能够掉到地上，粉身碎骨。

但是当我看到那个农民的一瞬间，我惊呆了。

他是干农活时不小心失去了双手的残疾人，普通的碗根本用不了。匠人知道以后，专门捏了一个不用手，只要用胳膊就可以使用的碗。

"这……我真不知道怎么感谢才好……"

农民从匠人手中接过我，含着眼泪说。

"应该表示感谢的人是我，捏这个碗的过程是我从事陶艺这么多年来最幸福的一次，它也是我最好的一件作品。"

我这才感觉到了匠人捏我时手掌中的阵阵暖意，不管世界上的陶器说什么，匠人最好的作品就是我。

所有人类的作品，包括文学、艺术、美术、建筑以及除此之外的一切都是作者的自画像。越是要隐藏自己，你的个性显现得就会越突出。

——塞缪尔 · 勃特勒
(Samuel Butler，1855-1902，英国作家)

所有人类的作品，包括文学、艺术、美术、
建筑以及除此之外的一切都是作者的自画像。

菜粉蝶和柑橘凤蝶

　　菜粉蝶失恋了，他陷入了深深的痛苦之中不能自拔。这次失恋的打击实在太大了，他站在菜地里，总是发呆。

　　有一天，住在隔壁的柑橘凤蝶来他家聊天。

　　"你打算这样消沉到什么时候？跟我一起到山那边的黄蝴蝶家去吧。"

　　菜粉蝶有气无力地回答：

　　"我很烦，你就不要管我了。"

　　"别这样了，听说黄蝴蝶遇到了很麻烦的事。"

　　菜粉蝶用绝望的声音说道：

　　"再麻烦也不会比我麻烦。"

　　柑橘凤蝶无奈地回答：

　　"这点事情算什么？听说黄蝴蝶的姐姐被那些淘气的小孩子抓走了……"

　　菜粉蝶这才露出了惊讶的表情。

　　"天啊，竟然有这种事情，我们赶快去看看吧！"

　　菜粉蝶跟着柑橘凤蝶出发了。

　　路上，他们经过开满白色花朵的葱地，在那里休息了一下。柑橘凤蝶对菜粉蝶说：

　　"怎么样？天气很不错吧？"

"是啊，风也很温和。"

柑橘凤蝶似乎等了很久似的，说道：

"深呼吸，想一想失去姐姐的黄蝴蝶的悲伤……"

"我可以再找到自己的伴侣，但是黄蝴蝶失去了姐姐，就再也找不回来了。"

"当然了。"

柑橘凤蝶安慰着菜粉蝶说道：

"黄蝴蝶的悲伤可以治愈你的悲伤，忘掉悲伤最好的方法就是制造出另一段悲伤。解除自己悲伤的最好方法就是进入别人的悲伤当中。看看那片草地吧，如果菜地里不种蔬菜，不就和那片草地一样杂草丛生吗？"

柑橘凤蝶就像菜粉蝶的姐姐一样，亲切地说了下去：

"为了去除杂草，就要赶快往地里播种新的种子，希望的种子进入失望的洞穴时，创伤就会被治愈。而在这样周而复始的过程中，我们将会重生……"

　　这个世界上的一切都在于你的想法，如果你带着蓝色眼睛看事物，一切都是蓝色的。看待世界的视角乐观或悲观，世界也会变得快乐或悲伤。让我们用闪亮的心，宽阔的心，纯净的心，谦虚的心，温和的心看待这个世界。

——B·雨果
(法国作家)

132

三个条件

　　第达尔很想和美丽善良的露西亚结婚，但是首先要得到勤劳却又倔强的露西亚父亲的允许。可第达尔一到露西亚父亲的面前就惊慌失措得说不出话来，他也不知道为什么。

　　有一天，第达尔下定决心去找露西亚的父亲。他不顾一切地说，自己爱露西亚，希望能允许他们结婚。听了他的话之后，露西亚的父亲提出了三个条件：

　　"如果你想娶我的女儿，首先要拿到每天天刚亮的时候，第一个来到院子里的母鸡的羽毛，听说这对减轻腰痛非常有好处；第二，把鸡毛递给我的时候腿不能动，要站着并弯曲着身体，用嘴叼着鸡毛。最后一个条件，过几天我就要过生日了，你要在自己的手掌里放一团火，而且不能跑，要慢慢拿到我面前。"

　　第达尔第二天一早就去满足了露西亚爸爸提出的第一个条件。但是第二个条件就不那么容易了，他向农场的农民们请教，大家异口同声地告诉他：每天打理葡萄园，辛勤地劳动，身体就会变得很柔软……

　　从那以后，第达尔干活就比别人更卖力了。几个月后，他打理的葡萄园结出了一串串沉甸甸的葡萄。他第一次体会到了收获的喜悦和对自然的感谢，这也成了他反省自己以前打牌浪费掉的那些日子的契机。

　　终于，露西亚爸爸的生日到了。一大早，第达尔就来到了露西亚的家里。他说："祝您生日快乐！"然后没费什么力气就弯曲着身体把鸡毛递到了露西亚爸爸的手上。由于长时间的劳动，第达尔的手上已经结了一层厚厚的老茧，他在手里放了火种，冷静地拿到了露西亚爸爸面前。就这样，他圆满地完成了三个条件。

这时候，露西亚微笑着对第达尔说道：

"爸爸这是为了教你如何成为一个勤劳的人，一个真正的男人。"

不要以为一步一步慢慢走就可以到达目的地。每一步都要有它本身的价值，成功都是由一件件有价值的事情组成的。如果要获得真正的成功，你的每一步都必须是有力的，充实的。

——A·但丁

(Alighieri dante，1265~1321，中世纪意大利伟大诗人)

134

小偷和圣子

很久很久以前，一对生活在海边的兄弟偷了一艘渔船，却在卖到另一个村庄时被发现了。兄弟二人当时就被拉到村子的礼堂里，村民们指出了他们的种种罪行。原来两人偷船已经不是第一次了，几年间，盗窃行为没有间断过。

愤怒的渔夫们纷纷要求对兄弟二人处以重刑，这时候村长大声制止了他们：

"虽然他们的罪行不可饶恕，但是我们不能剥夺他们的生命。最好的惩罚是在他们身上做一个小偷的标志，让他们一辈子都受到良心的谴责。"

乍一听，好像是这样。于是村民们按照村长的话在兄弟俩人的额头上刻上了大大的"ST"，意思是"偷船的人 (Ship Thief)"。

之后，所有的人看到兄弟二人时都会指着他们的脊梁骨说：

"你看，ST！"

"你知道 ST 是什么意思吗？就是偷船的人，哈哈哈……"

哥哥无法忍受村民们的指责，趁着天黑，悄悄离开了渔村。但是，无论到了哪里，每个看到他的人都会问为什么额头上刻着这两个字，日子依然不安宁。他陷入了绝望之中，没多久得了精神病，最后客死他乡。

和哥哥不同，弟弟决定一直留在渔村。

"不管到哪儿，都无法躲避罪责，还不如留在这里赎罪。"

就这样，弟弟默默地忍受了村民的所有非难和敌意。

随着时间的流逝，人们对他的非难不像以前那么多了。他总是默默劳动，脏活累活抢着做，逐渐得到了村民们的认可，甚至有人开始有人夸奖弟弟了。

有一天，一位游客偶然经过渔村，看到一位老人的额头上刻着两个字。

"……？"

游客忍不住好奇，问了一个过路的年轻人，为什么老人的额头上刻着两个字。年轻人这样解释道：

"这件事情已经过去很久了，我也不太清楚。但这位老人是我们村里非常受尊敬的人，村里的每一个人都以他为榜样。"

"那额头上那两个字的意思是？"

年轻人毫不犹豫地回答：

"应该是圣人 (Saint) 的缩写。"

只要有可能就要多行善，用一切的手段，用所有的方法，找遍所有的地方，抓紧每一段时间，为所有人，服务到最后一刻。

——约翰·卫斯理

(John Wesley，1703–1791，英国宗教改革者)

死囚的糖

　　有一个死囚犯下了不可饶恕的罪行，被流放到了很远的地方。被判死刑后，他才深切地感受到生命的珍贵，并开始感受到生活在自己周围的那些人是多么幸福。

　　一步步走向死亡的他非常孤独，连亲人都不肯原谅他，从来没有来探望过他。偶尔会有教导所的人来看看他，他就这样消磨着有限的生命。不久，就被执行了死刑，默默地迎接人生的最后一刻时，他的表情就像一个修行多年的僧侣。

　　行刑的第二天，狱警从曾经关押他的监狱里发现了一个黄色文件袋，里面有七颗糖和一封信。

　　我背负着今生所有的罪过，离开了这个世界。

　　回顾我的人生，是一个渗透着痛苦和憎恨的一生。对于我犯下的罪过，我感到十分愧疚，希望我的死能够让被我伤害过的人多多少少感到一丝安慰。

　　我死后，希望把这些糖送给埋葬我的人，这些糖都是教导所的人来看我的时候送给我的。

　　其实，我非常爱吃糖，想吃到无法忍受。

　　但是，一想到有人要埋葬我，却毫无回报，我就快疯了。所以，我偷偷留下了这些糖。

　　我在监狱中反省自己的人生，想到了许多。我的人生哲学是死之前不希望亏欠任何人，这么晚才意识到这一点我感到非常难过。

　　求求您满足我的愿望，这几颗糖是我最后拥有的东西，请把他们分给那些为埋葬我而辛苦的人们吧。

　　　　如果我们的人生还要承受其他人的痛苦，那就会非常短暂。自己的生活已经足够忙碌，而且每当你犯下一个错误都要为此付出代价，这不能不说是非常遗憾的事情。其实，我们经常要接二连三付出代价。但是掌握着无数人类生活的命运之神却无暇顾及这一点。

——O·王尔德

(Oscar Wilde，1854 - 1900，19 世纪英国剧作家、小说家)

没有人可以摆脱自己曾经做过的好事和犯下的错误而彻底自由。

从坟墓中逃生的老人

从前，村子里有一个老人非常喜欢喝酒，只要一看到酒，就会忘掉一切。他的两个儿子辛辛苦苦挣来的钱都被爸爸拿去买酒喝了。

有一天，烦恼不已的兄弟俩商讨着如何解决父亲嗜酒的问题。

"再不能让爸爸这样下去了，我们挣来的所有钱都被他拿去喝酒了，以后的日子还怎么过啊？我们干脆这样吧……"

"怎么办？"

"让爸爸喝很多酒，喝得不省人事，然后……"

"然后呢？"

"先照我说的办吧，以后的事情到时候再告诉你。"

两个儿子按照计划，让爸爸喝了很多酒，喝得不省人事。然后把邻居们都叫到家里来，说道：

"爸爸去世了，我们要举行葬礼，请大家帮忙。"

邻居们听了兄弟二人的话都信以为真，帮老人换了衣服，抬进棺材，送到了墓地。

按照村子里的风俗，人死了以后就在沟壑里挖一个洞，再把棺材放进洞里。老人也被安放到了这样的洞里，整个过程他一点知觉都没有。

第二天，一个伊斯兰教徒拿着葡萄酒、面包、牛肉等食物经过坟墓附近，他们正往被敌人包围的城市里搬运食物，一不小心被敌人发现了，正在逃亡。他们把食物藏到洞里之后，离开了那里。

举行葬礼三天后，老人才醒过来，对周围的一切吃了一惊。

"这到底是哪里？我的儿子们都去哪儿了？为什么只有我一个人？"

他自言自语地看着周围，黑黢黢的洞里似乎没有任何生命的存在。沮丧的老人伸出手摸着周围，发现了葡萄酒和牛肉，还有芝士。他马上面露笑容：

"这难道是上天眷顾我吗？老天爷，谢谢你。一定是我的儿子们把我扔到了这里，但是上天并没有抛弃我。"

老人先用面包和葡萄酒填饱了肚子。

两个不孝之子很想知道父亲究竟怎样了。一周后，他们为了确认父亲是否死去来到了洞穴附近。在洞口，他们听到了父亲的歌声，惊讶不已。

"看来还活着。"

"怎么会……"

两个人难以置信，为了探个究竟，他们进了洞。

"爸爸……您怎么会……"

老人勃然大怒，大声喊道：

"你们想知道我为什么没死，对不对？"

"噢，不是……不是这样的……"

"你们这些没良心的家伙，你们想弄死我，可是仁慈的上天眷顾我，没有抛弃我！"

两个儿子仔细一看，葡萄酒和各种食物堆得像山一样。

他们羞愧地跪在地上，祈求爸爸饶恕自己：

"爸爸，是我们错了，请您原谅我们，今后我们一定会好好照顾您！"

父子三人把葡萄酒和食物都搬回了家，从此再也没有任何争吵，成了一个和睦富裕的家庭。

孝顺还生孝顺子，忤逆还生忤逆儿，不信但看檐前水，点 点滴滴在旧窝池。

——《古今贤文》

空手

亚历山大王的病情日益严重，整个王室忧心忡忡。为了治愈他的病，寻遍了全国的名医，却依然没有什么起色。

和周围焦虑万分的人们相比，亚历山大本人却很冷静。虽然面有病容，但他依靠天生的坚强意志，沉着地处理着一切事务，就像是在为死亡做准备。

家人和大臣们每次劝他休息一下的时候，他都会这样回答：

"不要为我担心，人死就像睡觉一样。活着的时候，怎么能浪费这些可以睁着眼睛的时间呢？余下的时间不多了，我要让自己过得充实一些。"

大王的病情越发严重，最后连坐到王位上的力气都没有了。

情况发展到这一步，王室也只好抛弃了继续治疗的计划。大家都很想知道他最后的遗言是什么，但是他却一直没有提到关于遗言的事情。

有一天，亚历山大王终于把所有的亲人和大臣都叫到了宫殿里。他艰难地，一字一顿地说：

"我死之后……埋葬时，把我的手露在外面，让所有的人都能看到。"

翘首以盼大王遗言的人们都吓了一跳，这样的话对于一位握有大权的国王来说，无论如何都是不太适宜的。

但是大王继续说道：

"我只想让世界上的人知道……曾经统治天下的亚历山大王离开人世

的时候，也是空手而去的……"

　　有三种诱惑让人类痛苦不已：第一是性欲；第二是自满；第三是对财富的欲望。人类所有的不幸都来自于这三种诱惑。如果没有欲望，人类会生活得很幸福。无论我们怎样努力，都不能毁灭它们。我们只能认真工作，锻炼自己，这是唯一的解决办法，这个世界只有在人们不断提高自己的过程中才能进步。

——拉美内尔

(Félicite Robert de Lamennais，1782—1854，法国神甫、政论家)

幸福的伪装者

　　麦克斯 · 比尔鲍姆的小说《幸福的伪善者》中有这样的故事。

　　有一个人长得非常凶恶，没有一点人情味，性格也很孤僻。而且他的生活也是一团糟，常常给别人造成许多麻烦和困扰，过着放浪的生活。

　　可是，不知从什么时候开始，他的心中也有了爱情的种子。他爱上了一位美丽纯洁的姑娘，并用充满爱意的语言，向她求婚。但是姑娘冷冷地拒绝了。

　　"我理解你的意思，但是我理想的丈夫并不是像你这样凶恶的人。"

　　姑娘的话非常绝情，但是他没有放弃。为了赢得她的芳心，他想尽了一切办法。终于，他想到了一个妙计，决定利用舞会上经常使用的面具。

　　他花了大价钱，买了一个面相仁慈的面具重新求婚。姑娘被他的甜言蜜语和善良的面容感动了，决定和他结婚。

　　以前从这个男人的面容上找不到一丝善良，但是自从得到自己倾慕的新娘后，他变得无比善良。为了让她高兴，他努力地工作着，"我爱你"这句话，也从不吝惜。

　　他们组成了一个美满的家庭，幸福地生活着。一天，一个陌生人来到了家里，他以前就对男人有成见，这时，男人正在睡午觉。陌生人心想："太好了！"然后就把面具后的故事、男人凶恶的长相和过去放浪的生活都告诉了妻子。

　　妻子陷入了深深的矛盾之中。这些话对于她来说打击太大了，无论如

144

何都难以置信。但她还是想知道真相，于是悄悄摘下了丈夫的面具。

就在那一瞬间，陌生人的脸上写满了惊讶。面具后的面孔不再是那个凶恶的面孔，熟睡着的面容挂着微笑，甚至比面具更加仁慈，更加温和。

人生最大的悲剧不是死亡，而是停止爱。

——W·S·毛姆

(W Somerset Maugham，1874~1965，英国小说家、剧作家)

信赖

　　有一个男人接到神的指令，必须杀死自己的儿子，于是他叫儿子第二天跟自己一起到树林里去。儿子不可能知道父亲的真正用意，非常兴奋地答应了。父亲却心如刀绞。

　　第二天，他们来到了树林中，儿子觉得非常幸福。过了一会儿，父亲为了杀死儿子开始磨刀。儿子非常兴奋，还在一旁帮忙。父亲看到对即将发生的一切一无所知的儿子，心里非常难过。

　　突然，儿子问爸爸：

　　"爸爸，这刀是用来干什么的？"

　　爸爸说：

　　"你不知道，这是用来杀人的。"

　　儿子还是非常开心。

　　"什么时候？"

　　爸爸举起了刀，儿子还是毫无防备，开心地笑着。儿子以为爸爸是在跟自己开玩笑，就在爸爸要砍下的一瞬间，听到了一个声音：

　　"停止吧，你很信任我，这就已经足够了。"

　　这时候，儿子说道：

　　"怎么停下了，继续啊，我觉得这个游戏很有意思。"

　　儿子依然觉得一切是一场非常好玩的游戏。

当你信任生命的时候，就会信任神灵。因为生命就是神灵，除了生命没有其他神灵，当你信任它，并和它一起漂泊的时候，死亡都会变形。对于你来说，死亡是不存在的。

——拉杰尼希

(Osho Rajneesh，1931-1990，印度哲学家)

两个上帝

少年的愿望就是见到上帝。

少年觉得要到上帝所在的地方需要很长一段路程，于是在行囊里放了巧克力和六瓶水踏上了旅途。

走出家门，过了三个十字路口，少年遇到了一位年迈的老奶奶。老奶奶坐在公园的长椅上，安静地看着白鸽。少年有些口渴了，就坐到老奶奶身边，打开行囊，拿出了水。

他正要喝水的时候，发现老奶奶好像很饿的样子，就拿出自己的巧克力给了她。

老奶奶非常感激地接过了巧克力，微笑地看着少年。她的微笑实在太美了，为了再次看到老奶奶的笑容，少年又把水递给了老奶奶。老奶奶又给了少年一个灿烂的微笑，少年非常高兴。

这个下午，少年和老奶奶就这样又吃又喝又微笑地坐在公园的长椅上。除了这些，两个人没有说过任何一句话。

天黑了，少年有些疲倦，就站起身，收拾行囊准备回家。但是走了几步，突然跑到老奶奶面前，深深地拥抱了她。老奶奶给了少年一个最幸福的微笑。

不久，少年回到了家，母亲看到儿子一脸幸福，惊讶地问道：

"你今天干什么了，这么高兴？"

少年回答说：

"妈妈，我今天和上帝一起吃午饭了。"

妈妈还没反应过来少年的话是什么意思，少年接着说道：

"妈妈，您知道吗？上帝是我所见过的人中笑容最美丽的一个。"

老奶奶同样非常高兴，满面笑容地回到了家。

老奶奶的儿子看到母亲的表情，惊讶地问道：

"妈妈，今天发生了什么事情，您看上去这么幸福？"

老奶奶回答：

"儿子，我今天中午和上帝一起在公园吃了巧克力。"

儿子还没有听懂的时候，老奶奶又说：

"你知道吗？上帝比我想象的年轻多了。"

如果有人问我什么东西最能体现耶稣的性格，我会这样回答：他珍惜众多人类的灵魂，他发现了人类身上神灵的影子，不论一个人的过去是怎样的，或是什么样的性格，他都一如既往地爱着人类。

——钱宁

(William Ellery Channing，1780-1842，美国宗教学家)